# L'ART DANS LE MONDE

## FONDEMENTS HISTORIQUES, SOCIOLOGIQUES
## ET RELIGIEUX

CIVILISATIONS EUROPÉENNES

# LA GRÈCE ARCHAÏQUE

PAR

E. HOMANN-WEDEKING

ÉDITIONS ALBIN MICHEL, PARIS

LE VOLUME: LA GRÈCE ARCHAÏQUE PAR E. HOMANN-WEDEKING
A ÉTÉ TRADUIT DE L'ALLEMAND PAR JEAN-PIERRE SIMON

LA FACE DE L'EMBOÎTAGE REPRÉSENTE:
Achille pansant une blessure de Patrocle. Médaillon intérieur d'une
coupe du potier Sosias. Vers 500 av. J.-C. *Berlin, Stiftung Preussischer
Kulturbesitz, Collection d'Antiques. Cf. page 197*

L'ILLUSTRATION DE LA PAGE DE TITRE REPRÉSENTE:
Cruche protocorinthienne (détail), anc. Coll. Chigi. Troisième quart
du VIIe siècle av. J.-C. *Hauteur du vase 26 cm. Rome, Villa Giulia.
Cf. page 55*

L'ÉDITION ORIGINALE DE CE VOLUME A ÉTÉ PUBLIÉE EN 1966
SOUS LE TITRE: DAS ARCHAISCHE GRIECHENLAND
PAR HOLLE VERLAG BADEN-BADEN
© 1968 ÉDITIONS ALBIN MICHEL, 22, RUE HUYGHENS, PARIS
ISBN 2-226-01840-9

IN MEMORIAM
HUMFRY PAYNE

# I. CONCEPTION SPIRITUELLE:
## L'ÉPOQUE GÉOMÉTRIQUE (env. 1050–700 av. J.-C.)

Pour les Grecs de l'ère protohistorique, tous les vases et ustensiles que leurs ancêtres avaient fabriqués avant la sédentarisation définitive des tribus constituaient les accessoires domestiques des pères fondateurs, des temps primordiaux. Et les puissantes murailles des citadelles préhistoriques étaient considérées comme un accomplissement des «Cyclopes». Là où elles s'étaient conservées à l'état visible, elles restaient l'héritage craintivement et respectueusement admiré d'un passé rationnellement incompréhensible, dans lequel avaient vécu des hommes «tels qu'ils avaient alors été» et tels que, dans l'*Iliade*, le vieux Nestor les évoque déjà comme appartenant à un âge depuis longtemps révolu. Les héros eux-mêmes, auxquels se référaient les mythes religieux et les chants héroïques, s'affirmaient ainsi que leurs tombes jusque dans le présent, et la vénération qu'on leur vouait tenait du culte. Il arrivait même que l'on découvrît les restes de l'un de ces puissants personnages des temps primordiaux, comme Plutarque le relate au sujet du transfert des ossements de Thésée.

L'époque, dans laquelle le souvenir historique des Grecs eux-mêmes avait reflété l'apparition du nom, commun à tous, d'Hellènes (*Héllènès*), et dans laquelle les tribus d'expression ionienne s'étaient nettement distinguées de celles qui s'exprimaient en dorien, tandis que les Ioniens se divisaient à leur tour en deux grands groupes dialectaux, l'attique et l'éolien, cette époque signifie dans son ensemble une nouvelle fondation de la nation grecque. Elle se manifeste par la création d'un art nouveau.

Quelque chose de la primordialité en quelque sorte accueillante, sympathique, que les poteries préhistoriques exécutées sans l'aide du tour conservent partout et toujours, sous leur forme pansue et vaste, se retrouve comme signe caractéristique jusque dans les créations de la plus haute qualité technique, parfois même raffinées des céramistes crétois de l'apogée de la civilisation minoenne. Un récipient peut revêtir les aspects les plus divers. Il est possible de faire servir au *même* usage des formes et des décors infiniment variés. La plupart des potiers qui, au IIe millénaire av. J.-C., travaillaient pour les seigneurs des citadelles mycéniennes et des palais minoens, mais aussi pour la population dans son ensemble, utilisaient évidemment le tour. Car l'existence de ce moyen technique et sa diffusion en Asie Mineure et dans la partie orientale du bassin méditerranéen remontent au IIIe ou même au IVe millénaire avant notre ère. Mais les contours de cette céramique fabriquée au tour font l'effet d'un découpage fortuit dans une courbure continue, d'un détail d'ondulations plus générales, qui dépendent de lois naturelles et non pas de la volonté humaine, d'une construction de l'esprit. Les décors de ces vases accusent une prédilection pour le procédé de la répétition ininterrompue du même motif, dit *«unendliche Rapport»*; quand la décoration s'enrichit de scènes figurées, le cadre ainsi que la composition dans le cadre gardent quelque chose d'indéterminé — en tout cas, les bords respectifs des images ne signifient pas de délimitation claire et définitive.

PL. PAGE 10 Il faut nous représenter, à l'examen d'un vase funéraire du VIIIe siècle av. J.-C. orné de motifs géométriques, qui était jadis placé sur la tombe même et la signalait, que la matière et la technique sont les mêmes qu'à l'époque créto-mycénienne, que le phénomène du monument funéraire s'est développé à partir de formes préliminaires, assurément beaucoup plus petites. Car quelque chose d'inhabituel, de nouveau en fait, quelque chose de simple et en même temps de grandiose semble être subitement et presque spontanément apparu. Et cela est réellement le cas.

La compréhension de l'ensemble sera le plus facilement obtenue en faisant partir l'examen du détail le plus infime. Il s'agit des traits constitutifs de la décoration. Ces traits sont tirés avec la plus grande précision et sûreté. Les minces cercles horizontaux, probablement en tenant fixement un pinceau fin contre la paroi du vase entraîné par la rotation du tour. Pour les longs traits verticaux aura certainement été utilisée une règle; quant aux groupes de courts traits parallèles, ils ont sans doute été tirés à l'aide de petites brosses portant de très fins pinceaux équidistants. Alors que dans une phase de développement quelque peu antérieure les cercles et segments de cercle, et notamment d'étroits cercles concentriques, avaient joué le rôle principal dans le décor peint, les formes curvilignes ou régulièrement circulaires sont ici totalement négligées. Elles se trouvent remplacées, en un lieu privilégié dans la symétrie du vase, au centre de la zone des anses, par la scène figurée, d'une composition strictement symétrique.

Les thèmes figurés de ces vases n'ont pas été choisis au hasard; ils sont étroitement liés à la destination du récipient, à une conception profondément religieuse de la mort et à des rites funéraires d'une extrême minutie. La plus grande importance revient à la lamentation funèbre. Mais les figures elles-mêmes sont rendues avec un sentiment d'abstraction et une extraordinaire articulation, sous cette même forme géométrique dont témoignent aussi chaque ornement particulier et l'image d'ensemble de l'ornementation. *Thèmes figurés*

Le sens de l'image d'ensemble se manifeste le plus nettement dans les grecques. Dans leur structure, ces ornements courants, ininterrompus, retardés en eux-mêmes, uniformes mais jamais monotones, pourraient se comparer au vers homérique, d'une construction savante et néanmoins extraordinairement simple, l'hexamètre dactylique. Précisément parce qu'une telle comparaison ne porte que sur l'aspect le plus général, sur le caractère de base, elle est essentielle pour une bonne compréhension du problème. Car elle démontre que les mêmes données initiales déterminent les formes d'art dans la décoration peinte comme en poésie, à savoir l'univers mental et les formes de pensée du temps. L'homme vivant ne se concevait pas en tant qu'unité, mais comme pluralité coordonnée des plus diverses qualités physiques, psychiques, intellectuelles, actives et surtout aussi passives, recueillant impressions et expériences. Par leur dessin antithétique et brisé, les larges bandes de grecques constituent pour ainsi dire un symbole de ces forces variées. Même les sens opposés se trouvent intégrés dans l'ordre commun des systèmes de grecques. Cependant, le corps des vases, qui portent les ornements et les figures de la décoration peinte, participe également du principe formel apparaissant dans la grecque. Cela est révélé par la précision des contours et par l'exacte correspondance

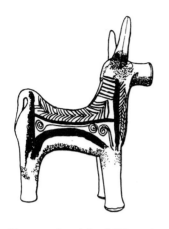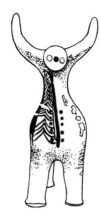

FIG. I – *Taureau submycénien d'Attique, terre cuite. Berlin (Prähistorische Zeitschrift 19, 1928, 311 pl. 35)*

réciproque des diverses parties du vase dans le sens d'une composition témoignant d'une cohésion non pas organique, mais en quelque sorte cristalline.

S'il est incertain dans quelle région de la Grèce il faudrait rechercher les premiers débuts de la métrique grecque: le développement qui devait conduire aux hexamètres et distiques (Homère et Archiloque), malgré leur simplicité apparente d'une extrême rigueur et liés à des règles difficiles, a eu lieu en Ionie. Les premiers débuts de la forme «géométrique» de vase et décor se situent cependant dans la cité – née de la réunion de plusieurs villages – des Athéniens, qui se vantaient d'être les habitants autochtones de leur pays attique. Mais il est presque plus caractéristique encore de la nature panhellénique du style nouveau que, dès les premières amorces, il ait conquis l'ensemble de la Grèce, et que le développement et l'achèvement ultérieurs des formes se soient déroulés parallèlement dans presque toutes les provinces grecques – seules les régions ioniennes plus orientales et les îles doriennes telles que Rhodes, qui con-

*Ionie et Athènes*

Amphore funéraire géométrique de la nécropole du Dipylon à Athènes. Vers 770 av. J.-C. *Hauteur: 1,55 m. Athènes, Musée National. Cf. pages 8, 9 et 15*

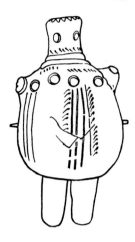

FIG. 2 – *Figurine de femme, terre cuite. Xe siècle av. J.-C. Athènes, Musée du Céramique (Kerameikos, Erg. der Ausgrabungen IV pl. 31, en haut au milieu)*

stituaient une enclave dans le domaine ionien, ne devaient jamais se rallier complètement à l'art géométrique.

**PETITE PLASTIQUE**

A partir de ces données initiales, il s'agit à présent de s'interroger sur la nature des hommes qui ont créé et représenté le style nouveau. Ces hommes ont-ils porté témoignage d'eux-mêmes dans leur production artistique? Ce témoignage pourrait s'espérer dans la sculpture, où l'être humain n'est pas figuré sous les traits d'une silhouette triangulairement subdivisée, mais comme un corps doté de spatialité.

Ce n'est certes pas uniquement par suite de la mauvaise fortune de la perte que la grande plastique grecque ne commence à notre connaissance qu'après les premières décennies du VIIe siècle av. J.-C. Mais dans la période géométrique et dans celle qui la précède immédiatement la petite plastique est aussi relativement pauvre. Alors que le sentiment plastique monumental devait se créer une expression adéquate dans des chefs-d'œuvre techniques et artistiques à la mesure absolue de l'homme, tels que le vase funéraire, réalisations qui, dans leur forme, représentent d'une manière pure l'esthétique spécifiquement géométrique – la petite plastique de terre avec les thèmes anthropomorphes et zoomorphes demeure ici à la traîne, constitue le prolongement d'une autre tradition, plus ancienne.

**FIG. I**

Cela est en rapport avec le fait que les terres cuites, surtout les figures animales, se façonnaient suivant la même technique que les vases. A l'aide du tour on fabriquait le tronc, qui – aussi quand

FIG. 3 – *Cerf protogéométrique, terre cuite. X^e siècle av.*
*J.-C. Athènes, Musée du Céramique (Kerameikos, Erg.*
*der Ausgrabungen IV pl. 26, en haut)*

l'ensemble n'était pas destiné à servir de «vase» plastique, de rhyton (ustensile à boire) ou de quelque autre récipient analogue – était doté d'une ouverture, par exemple sur la poitrine. Ce corps creux FIG. 3 de forme cylindrique recevait ensuite un léger modelage à certains endroits de la surface, puis étaient rapportés les membres, le cou et la tête, et finalement la figurine entière était peinte et cuite au four. Pour cette raison, la production d'effigies humaines ou animales se révélait difficile, car la masse d'argile plus volumineuse ne suppor- FIG. 2 tait pas le même degré de cuisson. Le retrait au four était en effet trop prononcé et augmentait considérablement les risques d'éclate- ment de la masse. Tous ces produits plastiques, qui, dans leur con- ception et leur technique, restent empêtrés dans une tradition très ancienne, ne sont en tout cas pas aptes à exprimer les nouveaux principes structurels de l'esthétique géométrique. Il faudra attendre que l'on recommence à se tourner vers la matière première que peuvent fournir les alliages de bronze, pour que naissent des figures, qui appartiennent certes à l'art géométrique, mais qui n'obéissent pas entièrement, et surtout pas *uniquement* à ce principe formel clairement conscient et inexorablement mathématique.

La recherche spécialisée a découvert dans le sud de l'Asie antérieure, *Influences étrangères* dans la région de Belgrade et aussi dans le sud de l'Italie centrale des éléments de comparaison avec la décoration de vases gréco- géométrique. Il demeure néanmoins certain que ce qui s'est nou- vellement développé en Grèce représente dans son genre un phéno-

FIG. 4 – *Couvercle d'une pyxide d'argile du géométrique primitif avec poignée hippomorphe. Athènes, Musée du Céramique (F. Matz, Frühgriechische Kunst I pl. 26)*

mène autochtone, issu d'un moment créateur d'une portée universelle et non influencé dans son essence. Le problème n'est pas le même en ce qui concerne les statuettes de bronze. Elles ne sont pas concevables sans les prototypes syriens et hittites, sans un «*Kulturgefälle*» («retombée culturelle») d'est en ouest, bien que – comme encore souvent par la suite – la sollicitation soit adaptée, transformée d'une façon décisive.

PL. PAGE 18 Une statuette de guerrier montre l'esprit nouveau à un degré primitif. Certes, l'observateur non avisé ne sera frappé de prime abord que par un parti extrêmement élémentaire, voire même grossier dans l'emploi des moyens d'expression. Quand on est un tant soit peu familiarisé avec les conditions dans lesquelles ces figures ont vu le jour, quand on possède une certaine notion de ce qu'était la plastique de l'âge du bronze en Europe et en Asie antérieure, et quand on sait en outre que la statuette de guerrier est virtuellement née en même temps que les créations céramiques monumentales et aussi les plus anciens temples grecs, alors seulement on reçoit la révélation de la particularité, ce qui veut dire ni plus ni moins: de la signification de ce petit bronze au niveau de l'histoire universelle.

L'interrogation portant sur l'identité du personnage représenté doit être précédée de cette autre, plus générale, portant sur l'objet même de la représentation. Nous ne pouvons évidemment pas faire autrement, au cours de la description, que nous servir de *notre* faculté de voir, de nos formes de pensée, de nos possibilités paraphrastiques, sans toutefois croire un seul instant que dans les débuts du Iᵉʳ millénaire av. J.-C. la statuette aurait pu être vue avec les mêmes yeux, décrite dans les mêmes termes.

Devant nous se tient à la verticale un homme mince, apparemment sans vêtements sauf une «ceinture» double et un casque, dont seul le haut cimier dentelé est nettement visible. Le personnage est au repos, les jambes légèrement écartées; les bras s'éloignent horizontalement du corps, l'avant-bras et les mains étant levés. Dans le visage plat les yeux et la bouche sont suggérés par autant d'entailles horizontales, et deux entailles marquent également l'emplacement des genoux. Figurés comme denticules, les doigts – chaque fois cinq – et les orteils (quatre à chaque pied) correspondent par leur forme à la dentelure du cimier. Par les tenons, qui sont encore conservés sous les pieds, la statuette était soit fixée à sa propre base soit rivée à un ustensile ou un meuble.

Abstraction faite des différences de catégorie artistique et de grandeur absolue, le guerrier, en comparaison avec le vase funéraire, PL. PAGE 10 accuse aussi très nettement une différence de qualité. Du point de vue purement technique, céramique, le vase funéraire constitue un chef-d'œuvre à peine plausible. Dans la composition des ornements, du tableau de l'exposition du mort *(prothésis)* et de la lamentation funèbre, des deux frises animales, le peintre n'est en rien inférieur au potier. Le vase a vu le jour dans le centre des ateliers céramiques qui étaient alors prépondérants, c'est-à-dire à Athènes, et il a été achevé par les artistes les mieux éduqués et les plus précis du temps. Là contre, la statuette de bronze a certes quelque chose de nettement provincial. Le caractère uniformément grec et l'attitude de l'époque s'expriment cependant de la même manière dans les deux œuvres. Pour la céramique, les ornements géométriques, notamment la grecque, ont paru si caractéristiques que l'on a qualifié de «géométrique» toute la période allant approximativement de 1050 à 700 av. J.-C. La géométrie en tant qu'art métrique, science et forme de pensée est toutefois bidimensionnelle, et comme géométrie sphérique elle se fonde aussi primordialement sur le plan. Les créations plastiques, cependant, se situent dans la spatialité et sont tridimensionnelles dans leur étendue. Ce qui, dans la mise en œuvre artistique de l'art de surface, est rendu par des formes géométriques simples s'exprime d'une façon correspondante, dans la plastique, par des formes *stéréométriques*. Cette forme constructive artistique, qui se trouve révélée dans son achèvement par de petits bronzes un peu plus récents, accuse ses débuts dans la statuette de guerrier. Le corps est à peine doté de volume plastique. On pourrait dire que cette œuvre ne représente pas la figure en tant que telle, mais plus exactement son schéma constructif, une «armature», laquelle est toutefois entièrement orientée dans l'espace. Dans cette orientation le rôle principal revient à une certaine symétrie et à une préférence de l'angle droit, dans la verticale comme dans l'horizontale. La stylisation de la figure humaine dans l'art de surface gréco-géomé-trique – ou aussi égyptien – a été qualifiée très justement de «*wechselansichtig*», donc comme obéissant à un parti de «vue alter-née»: alors que la tête et les jambes apparaissent de profil, la poitrine est rendue de face. Il s'agit d'une convention qui ne possède un sens, qui ne *peut* posséder un sens que dans l'art à deux dimensions. Par opposition, même une statuette provinciale, dans laquelle la substance en tant que masse façonnée n'apparaît presque pas du tout, constitue de la *plastique*, c'est-à-dire se trouve dotée

PL. PAGE 134

de spatialité. Or, on ne peut guère affirmer qu'une dérivation continue d'une statue plus récente de 300 ans serait en quelque sorte possible à partir du germe de l'esthétique stéréométrique accusée par la statuette. Pour l'interprétation du petit bronze nous pouvons cependant nous servir dès à présent de quelques définitions, qui nous seront aussi indispensables pour comprendre le noyau spéci-fique de certaines figurations beaucoup plus récentes.

L'artiste travaille sur des formules, qui, pour plus de précision, pourraient être également qualifiées d'idéogrammes. Des encoches au ciseau désignent les yeux, la bouche et les genoux; le cimier figure le casque, la «ceinture» probablement le bord inférieur de la cuirasse – non représentée; les denticules suggèrent les doigts, les orteils et le cimier dressé du casque. Les bras levés, les mains ouvertes sont un geste sacral signifiant l'oraison, mais caractérisant aussi l'apparition, l'épiphanie de la divinité sollicitée par la prière. Ce qui donne toutefois à cette figure l'unité de la mise en forme et en fait ainsi véritablement une œuvre d'art, c'est sa dynamique très vivante. Celle-ci se manifeste dans les faibles déviations de la rigoureuse symétrie, dans la fluide animation des formes stéréométriques en dépit d'une attitude thématique calme, dans le caractère symbolique unitaire des formules en question, mais surtout dans leur puissance expressive. Il devient ainsi évident au premier coup d'œil qu'il ne s'est pas simplement agi de représenter *n'importe quelle* figure humaine, mais plus exactement un personnage viril, – plus concrètement encore – un guerrier, défini en outre, par le geste des bras comme appartenant à la sphère sacrée, donc comme étant un adorant ou un dieu.

Dans le cadre de quelles données sociales, de quelles données religieuses et politiques se situait une telle représentation?

A côté des nombreuses indications fournies par l'étude archéologique du sol et des strates culturelles qu'il révèle, l'*Iliade* est le document le plus important pour la réponse à cette question. La vie humaine était déterminée par le guerrier illustre, qui représentait et protégeait la collectivité. Les dieux olympiens, même s'ils laissent encore transparaître, surtout chez les vénérables divinités féminines, des traits d'un culte primordial ou oriental de la Grande Mère, voire même de la végétation, sont des êtres humains dans un état de suprême perfection. Zeus, maître du monde et dieu de la foudre, est guerrier – il portait le casque (Pausanias V 17, 1), et guerrier est aussi son fils Apollon, incarnation la plus pure du nouveau sentiment religieux *grec*. Le métier de guerrier appelait nécessairement l'existence d'une branche artisanale particulière, celle des armuriers, qui étaient sans doute aussi spécialisés suivant la catégorie d'armes fabriquée. Les médecins, également, étaient d'abord requis comme médecins militaires, chirurgiens, pour les cas graves. Il est vrai que les forgerons ne produisaient pas seulement des armes, mais aussi des instruments aratoires et des ustensiles domestiques. En outre existaient des sculpteurs en bois et des menuisiers, des musiciens et des chanteurs; des peintres et des potiers il a déjà été question implicitement. Donc, un état artisanal et, si l'on veut, artistique très diversifié. Mais l'agriculture demeurait le fondement économique principal de l'existence; en nombre, la plus grande

Statuette de bronze d'un guerrier. IXᵉ siècle av. J.-C. *Hauteur : 14,5 cm.*
*Munich, Antikensammlungen. Cf. pages 14 et suiv.*

partie de la population appartenait à la paysannerie; à l'agriculture venaient s'ajouter la pêche et la chasse.

Les seigneurs, qui, grâce à leur force physique, leur courage et leur habileté dans le maniement des armes, étendaient leur protection à la collectivité de leur entourage, étaient les détenteurs véritables de toutes les sources de revenus, et principalement les propriétaires terriens. Une royauté patriarcale, qui, au cours du IX$^e$ siècle, allait se transformer dans plusieurs foyers de l'évolution en une royauté de type urbain. Chez le peuple attique, lequel devait développer la plus puissante conscience historique, cet événement, le synœcisme, fut conçu sous les images de la réunion de plusieurs bourgades indépendantes en une agglomération urbaine proprement dite, une cité, opération politique dont le mérite était attribué au roi Thésée. Si les conditions particulières étaient certes modifiées dans les diverses régions grecques et si le rythme de l'évolution n'était évidemment pas le même partout – dans l'ensemble les formes d'existence et de vie sociale que nous avons indiquées sont valables pour toute la Grèce de la période géométrique. Mais qu'en ont représenté les arts plastiques? Dans les riches scènes figurées de la décoration des vases nous avons déjà reconnu des rites funéraires. PL. PAGE 10 Donc *pas* d'images mythologiques, mais la restitution stylisée et épurée de l'actualité. A ce répertoire appartiennent aussi les chars, qui défilent sur les vases dans une répétition à peine variée des types; plutôt représentation de processions de deuil et de convois funèbres que de courses disputées devant la tombe ou le bûcher. Comme préhistoire de tous ces événements sépulcraux on pourra sans doute interpréter les batailles terrestres et navales; et si celles-ci possèdent parfois dans tous les détails un caractère moins réel que symbolique, dans le sens d'une référence à la destinée mortelle, cela est également vrai des représentations d'épisodes cynégétiques malheureux et de naufrages désastreux. Les scènes musicales et sportives se conçoivent comme illustrations de jeux, de concours, qui entrent aussi dans le domaine du culte des morts. Alors que toutes ces images se trouvent sur des vases, qui signalaient la tombe extérieurement ou accompagnaient le défunt comme mobilier funéraire, la plupart des terres cuites et des petits bronzes contemporains proviennent de sanctuaires. Mais ces figures sont-elles des ex-voto, qui représentent le donateur, ou est-ce l'image de la divinité qu'elles restituent? Dans le plus grand nombre de cas il est impossible de décider définitivement dans un sens ou dans l'autre. Certes, les petits groupes de bronze d'Olympie, qui rendent un attelage avec son charrier, parfois aussi avec un passager pesamment armé, ne seront à juste titre pas pris pour des dieux, mais pour la figuration du dédicant humain, consacrée au sanctuaire. Cela ne devient cependant indiscutable que vers la fin de l'époque géométrique: ainsi, la représentation d'un armurier occupé à marteler un casque sur une petite enclume ne peut pas signifier Héphaïstos! Un peu plus tard, l'inscription et la disposition d'une statuette de bronze, datable des parages de 700 av. J.-C., attestent qu'il s'agit en réalité d'Apollon.

FIG. 4

Toutefois, par l'ancienneté et surtout par le nombre, les statuettes de bronze anthropomorphes sont de loin inférieures, à l'âge géométrique, aux représentations animales. Parmi ces dernières nous observons le plus fréquemment de petits chevaux ainsi que des figurines de bovidés. Cet art animalier permet aussi d'opérer le plus aisément la distinction de certains groupes stylistiques, régionalement différenciés. *Argos, Corinthe et Sparte* apparaissent ainsi comme les ateliers principaux: le centre de gravité de ce développement se situe par conséquent dans la presqu'île du Péloponnèse. Les centres de Thessalie et des Cyclades, quoique associés à cette production, sont alors moins féconds. Cela constitue en fait une parallèle parfaite avec la répartition géographique accusée par les poteries et leur signification respective pour l'ensemble de la Grèce. Une seule différence toutefois, mais notable: alors qu'Athènes occupe incontestablement la première place dans l'art géométrique du vase, sa production dans le domaine de la fonte du bronze ne suit celle des autres centres, dans la technique comme dans la mise en forme artistique, qu'avec un certain décalage chronologique.

*Attique* Depuis son existence, Athènes est le centre politique et culturel de l'Attique. Pour dominer l'Attique, il fallait au préalable se rendre maître d'Athènes. De ce foyer partaient aussi les impulsions intellectuelles et artistiques, impulsions dont l'effet ne s'arrêtait pas nécessairement aux limites territoriales de l'Attique. Nous devons cependant nous rendre compte du fait que, d'après leur origine et leur domicile, les grandes familles influentes n'étaient pas véritablement citadines, mais constituaient une aristocratie foncière dotée de vastes domaines. Il en résulte déjà théoriquement que certaines résidences seigneuriales en pays attique auront pu être des foyers de vie sociale et politique, voire même des centres d'activité artistique. Cette hypothèse a été confirmée par des trouvailles dans des campagnes relativement isolées, mais fertiles. La qualité des œuvres d'art qui ont été découvertes dans de telles régions atteint dès l'époque la plus haute le niveau artistique des trouvailles les plus remarquables de la ville d'Athènes, si même elle ne le dépasse pas dans certains cas.

Ainsi, par exemple, le mobilier funéraire de tombes découvertes dans la proximité d'Eleusis surprend par sa perfection technique et artistique. Il s'agit de vases appartenant à la phase primitive dite protogéométrique, et aussi d'autres, plus récents, de la catégorie dite noire du Dipylon. Mais Eleusis, en raison de l'importance du culte très ancien de Déméter, occupe évidemment une place à part au sein des cantons attiques. Toutefois, il n'y a pas de tels motifs d'ordre religieux pour, par exemple, détacher la localité d'Anavyssos du nombre de bourgs analogues. Ce site n'a pas seulement livré depuis des décennies quelques-unes des plus remarquables statues archaïques, et sa nécropole n'est pas seulement riche en chefs-d'œuvre céramiques des années postérieures à 600 av. J.-C., car on y a récemment exhumé, butin insoupçonné, un très riche mobilier funéraire d'époque géométrique, de la plus haute qualité. Les tombes et leur contenu ne se caractérisent ici pas simplement par la coûteuse somptuosité, le luxe, mais en premier lieu par un goût exquis dans la conception artistique, ce qui nous permet donc d'attribuer de la culture, une représentation précise et une haute compréhension à ceux qui passaient les commandes.

Néanmoins, dans le style des œuvres d'art des divers sites archéologiques de l'Attique il n'existe pas de différence: ici et là c'est le style communément attique. Les dissemblances, et en partie très sensibles, n'apparaissent en fait que lorsqu'on passe à l'étude com-

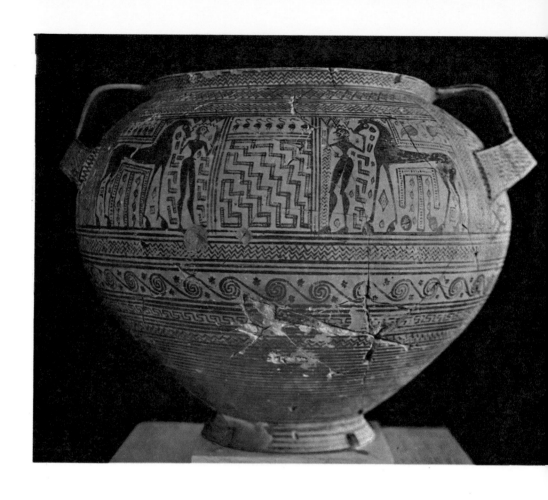

Cratère du géométrique tardif provenant d'Argos. Seconde moitié du VIIIe siècle av. J.-C. *Diamètre :*
*50 cm. Argos, Musée Archéologique. Cf. page 23*

*Régions artistiques*     parative des trouvailles de régions qui accusent géographiquement
et aussi d'après l'origine et l'idiome de leur population des variations
caractéristiques. De telles *régions artistiques (Kunstlandschaften)*, dont
les limites se dessinent déjà très nettement à l'époque géométrique,
sont outre l'attique la béotienne, la thessalienne, la corinthienne,
l'argienne et la cycladique, la crétoise et celle de Grèce orientale.

Plusieurs exemples nous ayant révélé la spécificité artistique de l'Attique, qui est dans la précision des contours, la fermeté de la construction et la clarté du dessin, nous nous bornerons à examiner un témoignage de la particularité différente de l'art géométrique en Argolide: un récipient trapu, largement évasé, avec des anses PL. PAGE 22 dites en étriers. On remarque d'emblée que la forme et la décoration se rattachent étroitement à l'amphore attique: le vase argien peut ainsi se concevoir morphologiquement comme une amphore comprimée à la verticale et fortement pansue. Dans le décor peint sa date plus récente est manifestée par les yeux des chevaux et les visages humains réservés – en opposition avec la silhouette pleine de la phase protogéométrique –, en outre par l'introduction du zigzag et du motif spiraliforme. Typiquement argien est le motif central entre les scènes figurées encadrées, le méandre en escalier; les équerres qui flanquent les conducteurs des chevaux en superposition alternée s'expliquent typologiquement comme des extraits de ce méandre. Particulièrement caractéristique d'Argos est cependant la singulière inquiétude du dessin dans son intégralité. Le rapport réciproque des diverses parties du décor ne possède pas cette fermeté d'airain révélée par l'exemple attique. Dans son ensemble et dans les détails, la composition ne témoigne ni de la stabilité immuable ni de la clarté attestées par l'esthétique athénienne. Cela ne tient pas au fait que l'exemple argien soit plus récent. Il est certes – comme nous avons pu le voir – moins ancien; la cause des différences qui nous préoccupent à présent n'est toutefois pas d'ordre chronologique, mais régional. Un tableau de vase attique encore nettement PL. PAGE 26 plus récent – que l'on observe la stylisation de la crinière du cheval! – accuse cette même clarté et fermeté de la composition figurée et ornementale plus ancienne, qui fait précisément défaut au récipient argien. Tous les éléments de la décoration obéissent en revanche à une composition plus dense sur le cratère argien. En Attique, à un degré de développement particulier du VIIIᵉ siècle, les vases sont sans doute aussi recouverts plus richement de motifs figurés et ornementaux qu'à l'époque primitive de l'art géométrique. Mais ils conservent néanmoins les critères de clarté, de précision et de fermeté évoqués plus haut. Ce qui, au sein de l'art géométrique, distingue d'ailleurs toujours les vases attiques des créations des autres régions, c'est l'emplacement occupé par la scène figurée, le tableau, sur la surface du vase, dans les cas où de tels tableaux sont effectivement présents. En Attique, leur position est centrale, dans la zone de décoration la plus importante et au milieu de cette zone. Et ils accusent nettement la tendance, à partir de ce centre, de déterminer les autres éléments du décor. Les représentations figurées sont plutôt accessoires dans la production des autres ateliers céramiques. Sur le cratère argien apparaissent ainsi deux tableaux, mais ils encadrent un motif purement ornemental, lequel est lui-même le véritable centre de la composition. Les scènes figurées montrent des conducteurs de chevaux. De tels motifs, les représentations de chevaux en général, reviennent très fréquemment sur les vases argiens. Argos, *nourricière de chevaux* – disait Homère. Bien qu'elles ne soient pas très clairement caractérisées dans ce sens, on attribuera sans doute à ces représentations aussi une signification sépulcrale définie. Ce ne sont pas la signification et la destination, qui différencient les créations des diverses régions artistiques, mais le style. Ce n'est toutefois pas que la distinction du style argien de l'attique s'épuiserait dans la négation des critères de qualité attiques. La richesse des éléments de décoration, la variation, le développement poursuivi des formes décoratives – jusqu'à leur division, voire même leur dissolution –, l'équivalence marquée d'ornement et de figure, la vitalité, qui semble en quelque sorte rayonner de tout motif particulier, impriment également au vase argien le sceau de la haute qualité céramique. Dans ces traits se manifeste en même temps une autonomie artistique, qui se trouve aussi dans l'est et dans le nord de la Grèce, mais principalement à Sparte et à Corinthe. A l'époque *géométrique*, ces régions particulières sont assurément toutes déterminées dans une large mesure par la sollicitation attique. Mais lorsque l'art géométrique entre dans sa phase finale, et quand, en Attique précisément, à partir de la scène figurée et de la représentation humaine, laquelle ne peut pas, en fait, demeurer assujettie à la longue à une rigoureuse stylisation géométrique, le style géométrique se désagrège – alors tous les particularismes des autres cités et nationalités grecques, jusqu'à présent étouffés, s'affirment avec éclat, offrant un *programme* déjà élaboré et visant un but déjà suggéré.

Le métier des armuriers a déjà été évoqué plus haut. C'est d'ailleurs Argos qui nous a conservé un témoignage de leur art de l'époque géométrique, sans doute à peu près contemporain du cratère argien. Nous verrons par la suite qu'au VIᵉ siècle l'armure des guerriers sur les tableaux de vases correspond parfaitement aux armes défensives réellement parvenues jusqu'à nous, les déductions – à partir des représentations – quant aux armes effectivement employées étant ainsi méthodiquement justifiées, même dans le cas des éléments d'armure qui sont peu ou pas connus par les trouvailles archéologiques. Il en va tout à fait autrement à l'époque géométrique. Ici se constate une lacune béante entre la statuette du guerrier thessalien d'une part et casque et cuirasse de la tombe argienne d'autre part, lacune qui manifeste d'une manière tangible le degré de stylisation dans les formes d'art. L'habillement et aussi la cuirasse servaient naturellement pour l'essentiel à des fins pratiques. Mais outre cela, dans la parure du casque, l'éclat du bouclier, de l'épée et de la lance, la forme imposée extérieurement par la cuirasse, le guerrier devient presque lui-même une œuvre d'art stylisée par l'armurier. Cette création, en quelque sorte statue douée de vie, ne peut s'adapter que très imparfaitement aux conventions des formes de style géométriques. Le guerrier de l'archaïsme tardif, le légionnaire romain, le chevalier de la Renaissance – ils s'intègrent tous plus facilement dans le sentiment formel, l'esthétique de leur période de style respective; tandis que le combattant des premiers temps grecs, qui se présente sous le poids et dans la splendeur de ses armes, se distingue à nos yeux très fortement des représentations contemporaines. Peut-être à nos yeux seulement? Car, il faut le redire, comment les Grecs des IXᵉ et VIIIᵉ siècles se voyaient euxmêmes, comment ils voyaient leurs guerriers, nous ne pouvons pas le savoir *a priori*, mais devons essayer de l'inférer des monuments artistiquement élaborés.

On pourrait supposer que dans l'architecture réapparaîtraient les rapports constructifs mathématiques des formes de vases et de représentations. Jusqu'à un certain degré, cela est d'ailleurs le cas.

ARMURE
s.i. 8

PL. PAGE 18

ARCHITEC-
TURE

Cratère protoattique (détail). Premier quart du VIIᵉ siècle av. J.-C. *Hauteur du vase: 39 cm. Munich, Antikensammlungen. Cf. page 23*

Il se vérifie toutefois en architecture comme en sculpture que les siècles après 1000 av. J.-C. voient d'abord se prolonger des traditions reçues. Le type de la maison à mégaron, qui nous est connu par les plus anciennes couches de Troie, plus tard par l'époque mycénienne dans le Péloponnèse, devait se perpétuer; car nous le rencontrons encore, légèrement modifié, au VIIᵉ, au VIᵉ, voire même au Vᵉ siècle. Dans une certaine phase de développement du simple temple dorique à antes, une parenté entre celui-ci et le type à mégaron n'est d'autre part pas niable. Mais quand apparaît, pour nous attesté pour la première fois dans l'Est ionien, le temple grec avec une base de statue à l'intérieur, donc comme maison du dieu, il constitue une création nouvelle et ne relève d'aucune tradition.

Il est possible que de très anciens précédents en bois soient irrémédiablement perdus pour nous. Cependant, en comparaison des premiers édifices, conservés dans des vestiges ou seulement inférés, ils étaient encore d'un format très réduit et modeste. La naissance de l'architecture grecque proprement dite, dont la tâche la plus éminente allait être précisément le temple, devint une impérieuse nécessité à partir du moment où les dieux n'étaient plus omniprésents. Lorsque, de la constante possibilité d'apparition directe, ils s'étaient retirés dans une effigie chargée de pouvoir magique, laquelle, bientôt, ne devait plus être le dieu lui-même, mais le signifier. L'image divine, seulement, réclame le temple.

Une puissante divinité féminine des religions orientales devint chez les Grecs Héra, la fiancée céleste. Ce n'est probablement pas un hasard si les plus anciens temples grecs lui sont consacrés. L'un d'eux se situe au cœur de l'Ionie, dans l'île de Samos, qui était déjà riche à l'âge du bronze; un autre se localise dans le centre des fêtes nationales helléniques, dans l'Olympie dorienne. Un troisième adopte la tradition de l'architecture du IIe millénaire dans la citadelle supérieure de Tirynthe. D'une vénérable antiquité, son image de culte en bois de poirier, une statue assise d'Héra, devait être transportée dans le plus célèbre de tous les *Heraia*, dans *le* lieu où les Grecs plaçaient l'origine du culte d'Héra en général, à savoir dans l'Héraion d'Argos. Ces temples ne montrent encore nullement les formes canoniques ultérieures. Ils se distinguent cependant de tous les édifices sacrés ou profanes plus anciens dans l'aire méditerranéenne.

Le Temple Ancien de Samos offre plusieurs états constructifs. Nous nous bornerons d'abord à en décrire le premier, qui peut se dater du VIIIe siècle – dans des limites assez imprécises autour de 750 av. J.-C. approximativement. Il s'agit d'un édifice d'un schéma étonnamment étiré, dont le plan représente un rectangle d'une longueur d'environ 33 m sur une largeur d'un peu plus de 6 m. Les vestiges

*Culte et temples d'Héra*

FIG. 5

27

comprennent des parties des fondements des murs, en pierres calcaires plates, quelques fondements des supports, qui divisent l'intérieur en deux nefs – dans son état premier l'édifice n'a pas possédé de suite de colonnes ou de piliers extérieure –, et une base d'effigie cultuelle, laquelle occupe une position légèrement excentrique à l'extrémité de la longue salle en corridor, seule une partie de l'image de la déesse se trouvant ainsi dérobée, par la rangée de supports intérieurs, au regard de la personne qui entrait dans le lieu-saint. Les supports intérieurs s'expliquent certainement par l'intention de franchir, grâce à leur appui, l'écartement des murs, lequel était assurément étroit, mais posait déjà de sérieux problèmes de construction. Il n'est pas sûr, en revanche, que la file axiale de 14 pièces de bois, probablement des poutres équarries plutôt que des colonnes, soit un argument suffisant pour supposer l'existence d'une toiture en double pente. Une couverture plate, avec peut-être une élévation de terre, est également possible. La tuile était en tout cas inconnue à l'époque. Une éventuelle toiture en double pente devrait par conséquent se concevoir couverte d'un clayonnage de ramilles et de couches de joncs, et relativement raide. Si cette question demeure posée, il faut aussi reconnaître qu'en ce qui concerne le matériau et la technique de l'élévation des murs seules des hypothèses sont permises. Que le bois entrait dans une forte proportion dans l'ensemble de la construction, cela s'est sans doute aussi exprimé dans

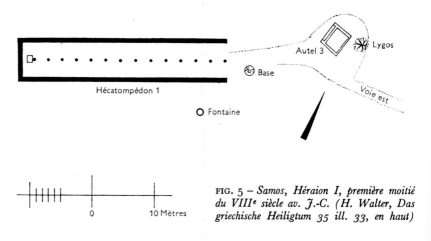

FIG. 5 – *Samos, Héraion I, première moitié du VIIIe siècle av. J.-C. (H. Walter, Das griechische Heiligtum 35 ill. 33, en haut)*

la description de reconstitution. De même, d'ailleurs, que l'idole aniconique était une planche, découverte selon la légende dans des circonstances miraculeuses. Ces données incomplètes permettent-elles néanmoins d'affirmer la signification particulière de ce temple pour l'histoire de l'architecture?

La caractéristique la plus singulière est le plan étiré obéissant au rapport de 1 :5. Cela veut dire que le fidèle pénétrant dans le temple se voyait à une distance relativement grande de l'effigie cultuelle, qui apparaissait dans la pénombre à l'autre extrémité d'un long passage et lui était en outre partiellement dissimulée par la file de supports. Articulée en deux nefs étroites, la galerie à peu près carrée sous l'aspect de laquelle se sera présenté l'espace intérieur possédait peut-être également une force d'effet magique et émotif, aspirante en quelque sorte, ressentie par le croyant dès le franchissement du seuil.

L'effet est inverse quand on s'imagine transporté à côté de la substruction du piédestal de l'idole, qui constitue un ouvrage de maçonnerie fait de petites pierres à peine taillées – le bloc supérieur de la base, qui recevait à son tour la planche elle-même, n'est pas conservé. Ici se dressait, chaque année revêtue de vêtements nouveaux, «prise» dans des rameaux de l'arbre qui lui était consacré, chargée de chaînes, peut-être aussi couronnée de feuilles de vigne, l'Héra de bois, dans la profondeur de la longue salle obscure, tournée vers l'est. Exactement dans le champ de vision de l'entrée éloignée de 30 m environ, se trouvait le symbole vivant de la déesse, le lygos (buisson d'agnus castus), arbre sacré d'Héra. Il poussait directement derrière l'autel dirigé vers le nord-ouest, donc (pour le champ de vision avancé) visible, mais dans une perspective d'angle seulement, la déesse pouvant ainsi participer «visuellement» aux rites sacrificiels qui s'y déroulaient.

Quand on essaye de se représenter ainsi les faits et les déductions qu'ils suscitent, il s'avère que le Temple Ancien de Samos n'est pas seulement un phénomène dans le domaine de l'histoire de l'architecture, mais aussi dans celui de l'histoire des religions. Le temple grec voit le jour lorsqu'une partie de l'efficace divine se trouve condensée dans une image, laquelle, à l'origine, n'est même pas

Angle sud-ouest des murs de la cella du second temple d'Héra à Samos. Première moitié du VIIe siècle av. J.-C. *Samos, Héraion. Cf. page 31*

façonnée par la main humaine. Car l'image réclame le temple. Et celui-ci est la forme la plus simple et adéquate, mais à son tour extrêmement condensée et expressive. Le corps d'édifice plastique grec est créé. Ici, lors de sa première apparition, il produit presque l'effet d'une forme prototypique plus grande que nature d'une pierre appareillée, d'un bloc de marbre du temps de Périclès, donc du plus petit élément constitutif des constructions classiques ultérieures.

Des parties de cet édifice, le plus ancien temple grec, se sont conservées comme par miracle. Et non seulement des fondements, mais aussi une pierre de l'élévation des murs et surtout le soubassement maçonné de la base de l'effigie cultuelle. Tout cela est certes recouvert par les pierres de l'édifice subséquent, né au début du

VIIe siècle; étant donné que celui-ci respecte cependant exactement les mesures et les proportions du temple plus ancien, il nous fournit des points de repère extrêmement importants pour la reconstitution. Le temple plus récent, à présent sans doute doté d'une toiture en double pente, devait toutefois renoncer dans son dernier état constructif à la file de supports intérieurs; une succession de supports extérieurs, la *peristasis*, peut déjà s'attester dans la dernière phase de l'édifice plus ancien.

Ce qui s'offre aujourd'hui au spectateur fait de prime abord une PL. PAGE 30 impression des plus modestes. Il s'agit de l'angle sud-ouest, c'est-à-dire de l'angle sud de l'arrière du lieu-saint, de la cella. Il faut tenter la reconstitution par l'imagination ou sur le papier pour saisir combien les minces pierres de taille, finement parées, correspondent dans leur forme individuelle à l'esprit et aux proportions de l'ensemble parfaitement ordonné, à quel degré, dans le lit supérieur soigneusement disposé des fondements, dans le corps du mur, dont sont conservées à un endroit jusqu'à quatre assises, se manifeste une architecture d'une incontestable maturité artisanale, qui étonne par la finesse de ses concordances. A l'origine, la peinture pariétale n'a pas non plus manqué ici: nous possédons un bloc avec le tracement incisé pour une frise peinte. Etait représenté un cortège solennel de doryphores, c'est-à-dire de porte-lance, sans doute la procession cultuelle de la ville de Samos jusqu'au sanctuaire distant de 7 km, qui se faisait en armes. Cependant, étant donné que seule a été conservée la bande supérieure de la frise, avec les têtes et les fers de lance des figures, séparées par des intervalles assez grands, il pourrait aussi s'agir d'une frise de cavaliers. Si ce décor peint occupait sur le mur l'emplacement où la frise se situe d'habitude dans l'ordre ionique, le bloc fournirait la preuve que le mur de cella du deuxième temple d'Héra était déjà exécuté en pierre dans toute sa hauteur. D'ailleurs, il n'appartient plus du tout à la chronologie de l'époque géométrique et constitue plus exactement un témoignage de la transformation s'opérant alors, de la remise en question des formes de vie et de style, par laquelle, après l'achèvement de l'art géométrique, est lentement mais constamment amenée une ère nouvelle.

# II. RÉVOLUTION ET AFFIRMATION:
## L'ÉPOQUE ORIENTALISANTE
### (env. 700–620 av. J.-C.)

*Dissolution des formes d'art géométriques*

Un certain principe d'ordre géométrique devait se maintenir dans l'art grec, comme noyau le plus intime, jusque dans ses dernières élaborations. Les formes d'art géométriques extérieures allaient cependant se désagréger avec le VIIIe siècle finissant. Cela signifiait que l'ébranlement était d'autant plus fort que les formes avaient été plus immuables. La décadence de l'art géométrique n'était évidemment pas la raison ou la cause de l'ébranlement, mais à l'inverse: sa conséquence, son symptôme. L'ébranlement lui-même se sera d'abord manifesté dans la structure politique, si même il

*Données politiques*

n'en est pas issu. Dans la plupart des Etats grecs le pouvoir passe des mains de la royauté héréditaire dans celles des paladins. Partout en Grèce, à l'exception de Sparte, un système d'oligarchie, certes localement différencié, se substitue aux rois. Ce changement ne pouvait pas s'opérer par une transition sans heurts. Dans la plupart des cas il était placé sous le signe des luttes de pouvoir – parfois par une révolution –, luttes qui, çà et là, opposèrent des familles nobles pendant de longues décennies, pour aussi se ranimer après des intervalles plus ou moins courts. Elles s'achevaient fréquemment, à la suite de multiples vicissitudes, par l'instauration de la «tyrannie». Mais cette période de bouleversements politiques se caractérise en même temps par une expansion active autant que passive. En comparaison, l'époque des formes de style géométriques constitue un univers refermé sur lui-même. Cependant, à l'occasion de cette transmutation de formes repliées sur elles-mêmes, interférentes et fermement structurées en formes nouvelles non plus géométriques, mais déjà organiquement déterminées, donc en formes de style *archaïques* dans un sens plus restreint, s'atteste une influence ren-

*Influences étrangères*

forcée des territoires avancés de l'Orient. Dans le monde des Grecs, dont les institutions politiques subissaient alors en maints lieux une transformation radicale, qui, du sol parcimonieux de la patrie, envoyaient de hardis colons vers l'Est comme vers l'Ouest, et qui, dans des conceptions cosmologiques et philosophiques, s'assimilaient des pensées orientales, arrivaient des marchands et des artistes venus de l'Orient. Mais les Grecs voyageaient surtout eux-mêmes, poussés par le désir d'élargir leur horizon matériel et intellectuel, vers l'Est. Les artistes découvraient d'autres techniques et d'autres matières, principalement l'ivoire, et naturellement aussi un univers figuratif totalement différent de celui qui leur était familier. Les Grecs s'approprièrent une grande partie de ces découvertes, mais rien ne fut adopté qui n'eût été au préalable assujetti à une réélaboration fondamentale. De cette rencontre naquit le style archaïque hellénique. Malgré toutes les sollicitations extérieures, malgré tous les modèles étrangers, la création de ce style était indubitablement une réalisation proprement grecque.

Très répandue a été et est toujours l'opinion que, lors de la création de ce nouveau style d'art, la Crète, île grecque méridionale, était *Crète* en tête. Au cours des dernières décennies on a tenté – et en partie assurément avec succès – d'attribuer aux îles qui sont situées dans le bassin oriental de la Méditerranée, en mer Egée, un rôle prépondérant dans ce processus. Il s'agit des Cyclades, les nombreuses *Cyclades* îles, partiellement rocheuses, dont Délos était le centre religieux. A Délos, affirme la poésie des *Hymnes*, la déesse Léto a mis au monde les jumeaux Apollon et Artémis. Et depuis, Délos est restée l'île sacrée d'Apollon. Les Cyclades étaient en tout cas une de ces régions grecques qui, dans les innovations institutionnelles et artistiques de ce temps, se façonnèrent aussi un visage particulier dans le cadre plus vaste de l'art grec. D'autres de ces régions étaient le Péloponnèse – et là surtout Corinthe; les territoires grecs orientaux d'Asie *Corinthe, Grèce* Mineure ainsi que les îles situées en bordure du littoral anatolien; *orientale et Athènes* enfin, mais privée de son monopole, l'Attique avec Athènes. Ces quatre régions sont à cette époque, appelée orientalisante précisément en raison de l'accointance en question avec le monde de l'Est, des centres du développement. A la place du foyer *unique* de la période primitive, Athènes, nous en avons à présent quatre. Dans chacun, les acquisitions formelles orientales se trouvent assimilées d'une manière très différente. Mais dans leur essence, les quatre

33

styles d'art régionalement variés et caractéristiquement particularisés dans leur production, sont authentiquement grecs. La preuve la plus convaincante en est le fait que, dans une traduction d'un autre genre et en quelque sorte dans un autre état d'agrégation, ils montrent une fois encore *le* contenu spirituel qui nous a déjà été révélé par l'art géométrique. Les témoignages de loin les plus nombreux de cette évolution, qui peut s'observer presque sans solution de continuité dans les quatre centres d'art orientalisant de Grèce, sont offerts par la peinture de vases.

CÉRAMIQUE

S.I. 1 Contemplons par exemple le cerf pâturant sur un tableau de vase de la première moitié du VIIᵉ siècle av. J.-C. C'est à peine si cet animal étiré, aux contours tendus, permet encore d'évoquer le souvenir du «style silhouetté» géométrique. L'ancien schéma figuratif, autrefois utilisé dans un sens strictement ornemental, est introduit dans la sphère de la vie organique. La généalogie de cette bête, d'une mise en forme si animalière et, certes, rigoureusement stylisée, est néanmoins très claire. Elle part des bouquetins passants PL. PAGE 10 de la frise animale de la grande amphore funéraire attique, comprend ensuite les représentations de cerfs sur le bord de coupes géométriques, pour aboutir aux corps de chevaux étirés en longueur PL. PAGE 26 des scènes figurées du géométrique tardif, qui se situent déjà à la limite de la peinture dite protoattique. Les figurations géométriques et celles qui sont plus récentes ont en commun la relation entretenue par le modèle naturel avec le rendu stylisé. Ce n'est pas ici l'image d'une vision et conception instantanée qui se trouve restituée comme impression immédiate, but qu'avaient visé et atteint les peintres des palais minoens de Crète au cours du IIᵉ millénaire av. J.-C., notamment les fresquistes. Au contraire, à partir d'innombrables observations individuelles très précises, l'artiste grec se forme en quelque sorte une idée intérieure de l'animal à représenter, et cette idée, qui se compose uniquement de traits particuliers essentiels et caractéristiques, est rendue par l'image. Dans l'art géométrique, ce processus est nettement abstractif. Cependant, même l'art grec du VIIᵉ siècle av. J.-C. conserve encore une grande part d'abstraction. Car, ici aussi, la restitution ne porte pas sur une impression optique directe, mais sur un type, composé au cours d'un processus mental

Amphore cycladique. Première moitié du VII<sup>e</sup> siècle av. J.-C. *Hauteur: 53 cm.*
*Amsterdam, Musée Zoologique. Cf. page 36*

à partir de nombreux cas particuliers. Par conséquent, la vie dont témoignent ces représentations n'est pas la vie naturelle, instantanément relatée, mais plutôt le caractère animé d'un acte de création mentale, indispensable à la genèse de l'image du *type*. Au développement dans le temps et donc à la modification progressive du type participent les observations nouvelles et changées du modèle naturel, et aussi, évidemment, toute représentation artistique de ce même type, une fois créée et diffusée. Les choses se présentent pareillement, du moins sans différence fondamentale, lorsque le point de départ n'est pas un modèle naturel, mais une œuvre d'art déjà élaborée, par exemple des prototypes orientaux.

L'amphore avec la représentation d'un cerf est née dans une île faisant partie de l'archipel des Cyclades. Une localisation plus précise n'a pas été possible jusqu'à présent. Il est en revanche certain que d'autres vases, encore, appartiennent au même groupe stylis- PL. PAGE 35 tique, probablement au même atelier. Sur deux de ces vases le champ du tableau est occupé par un lion, respectivement tapi et accroupi. Tous ces vases offrent un tracé qui est plus simple par rapport à celui des récipients géométriques; en même temps il ne fait plus l'effet d'avoir été estampé, en quelque sorte imprimé par une matrice métallique, mais accuse le mouvement contrebalancé des diverses composantes de tension. Toutefois, dans la clarté des contours ils ne sont en rien inférieurs aux vases géométriques. Mais la manière dont se détache aussi, chez eux, la représentation figurée des précédents géométriques peut presque être caractérisée dans les mêmes termes que la dissemblance du tracé. Une comparaison démontre que, dans les Cyclades précisément, l'incertitude formelle, voire même la confusion stylistique consécutive à la fin de l'époque géométrique fut rapidement surmontée, pour aboutir à une nouvelle PL. PAGE 26 et éminente élaboration formelle: l'écartement chronologique entre les attelages du cratère munichois et le cerf de Stockholm n'est assurément pas très grand. Mais, alors que les chevaux attiques peuvent être uniquement mis à contribution comme témoignage d'un style attardé, de la phase terminale de la peinture géométrique, le cerf se réclame d'une capacité nouvelle. D'une part: d'appréhender la vie animale et la mobilité organique, et d'autre part: de restituer cette perception par le processus mental créateur évoqué plus haut, et par le truchement des formes simples, homogènes, vitales, mais tendant à leur manière à l'abstraction, du style archaïque. Des représentations animales archaïques beaucoup plus récentes se situent encore, non seulement pour ce qui est du contenu mais aussi en ce qui concerne précisément la forme, dans cette même filiation, dont le cerf cycladique constitue l'une des manifestations les plus anciennes: ainsi le cheval de la coupe laconienne s.i. 15 de Londres ou les chevaux du cratère de bronze de Châtillon-sur- pl. page 147 Seine (trésor de Vix) ou encore les montures, certes beaucoup plus animées, du cratère céramique de Wurtzbourg. pl. page 167

Les années au cours desquelles l'art des Cyclades savait déjà élaborer des figurations dans des formes si généreuses, mais simples – environ 680–670 av. J.-C. –, sont déterminées à Athènes, dans une large mesure, par des expériences artistiques, non pas par des réalisations pleinement valables. Cette production comprend néanmoins des tentatives extrêmement audacieuses, telles que l'image s.i. 11 dramatique de l'aveuglement de Polyphème. La relation de cet pl. page 38 épisode suit le texte d'Homère (*Odyssée* IX 370–400). Assisté par deux de ses compagnons, Ulysse enfonce et fait tourner dans l'œil du Cyclope endormi sous l'effet de l'ivresse la pointe brûlante de l'énorme épieu d'olivier. Le personnage du héros plein de ruses est mis en évidence par un rehaut de peinture blanche. Assis incliné en arrière, l'horrible géant Polyphème se trouve caractérisé par une application filamenteuse de la couleur sombre. L'action est représentée dans son ensemble d'une façon très remarquable; mais en particulier la mobilité organique des membres des navigateurs errants grecs, avec leurs contours gonflés et labiles. La manière de la narration peut être qualifiée d'expressionniste. Et le but de l'artiste a certainement été beaucoup plus ambitieux que celui du peintre des figures de cerf ou de lion un peu plus anciennes. D'un expressionnisme débordant, ces images des peintres attiques de ce temps devaient toutefois aboutir à un échec, car elles se heurtèrent au problème des proportions et de l'économie artistique, parfois déjà au problème de l'accord de la forme et de la décoration du vase. L'Attique du VIIe siècle est en tout cas moins directement touchée

Ulysse aveuglant Polyphème. Tableau de col d'une amphore d'Eleusis. Second quart du VIIᵉ siècle av. J.-C. *Hauteur du vase: 1,42 m. Eleusis, Musée Archéologique. Cf. page 37*

par les sollicitations étrangères que d'autres régions grecques. Ainsi, la *Crète* accuse une importation orientale beaucoup plus importante. Mais là nous avons aussi une production autochtone nettement plus variée. A côté de la survivance d'anciennes formes minoennes du IIᵉ millénaire, dites *étéocrétoises*, on observe des imitations de modèles venus d'Orient, ainsi que des formes régionales particulières d'un art véritablement grec, *dorique*, et surtout un style archaïque primitif très singulier, spécifiquement crétois, dont les plus beaux témoignages sont de fines incisions de bronze et un groupe de plaques de bronze découpées uniquement attesté en Grèce, œuvres qui, apparemment, ne restituent pas des scènes mythiques, mais des images de la vie courante, quotidienne si l'on veut. Nous découvrons ici une véritable maturité de développement. La perfection des proportions et des contours de la figure individuelle, la composition accomplie des groupes à deux figures n'ont pas leur pareil dans l'art grec. Ces artistes, qui ont toujours travaillé un format plutôt réduit, étaient parfaitement conscients de leurs moyens, mais aussi de leurs limites.

PL. PAGE 39

La sveltesse des personnages, la souplesse de leur démarche, la position des figures inclinées l'une vers l'autre, la manière élégante dont elles conjuguent leur action font de ces tôles de bronze des pièces de cabinet au sein d'un artisanat de la plus haute tradition et d'un goût d'une extrême finesse de développement. Cependant, les Crétois n'ont pas créé et peut-être même pas recherché une forme monumentale à proprement parler. Jusqu'à un certain degré, cette constatation est aussi valable en ce qui concerne les territoires doriens du Péloponnèse. Bien que Corinthe soit le centre artistique le plus fécond de la Grèce du VIIᵉ siècle, et bien que dans la production céramique les potiers et les peintres de vases parviennent à briser le monopole attique depuis la fin de l'époque géométrique, conservant à travers tout le siècle une position prédominante dans l'art des vases et aussi – fait caractéristique et révélateur – dans l'exportation céramique, les chefs-d'œuvre conservés, d'une qualité

◀ Bronze découpé de Crète. Second quart du VIIᵉ siècle av. J.-C. *Hauteur : 18 cm. Paris, Musée du Louvre. Cf. page 40*

exceptionnelle, tiennent plutôt du petit format. Il est impossible, étant donné que les documents dont nous disposons se comptent par milliers, d'attribuer cette circonstance à un simple hasard. La vérité est que cette limitation de la grandeur extérieure était consciemment et volontairement pratiquée par les artistes.

Il est aisé d'énumérer une multitude de tels chefs-d'œuvre significatifs. D'une importance particulière pour l'histoire de l'art sont ceux qui permettent de comparer sur une même pièce le degré de développement de l'art planimétrique, la peinture de vases, avec la phase de développement des créations tridimensionnelles, la petite plastique. Pour les statuettes de terre cuite et de bronze, également, la fin de l'époque géométrique ne signifia d'abord que la perte d'une claire syntaxe formelle. Il fallut plusieurs explorations et tentatives, il fallut aussi un certain laps de temps avant que le style nouveau, archaïque, ne fût créé dans cette catégorie. On peut aujourd'hui affirmer qu'à partir du moment où la Grèce connut une sculpture d'un format de grandeur naturelle, la loi de l'évolution fut déterminée par la grande plastique. Nous possédons des statuettes qui, dans leur caractère stylistique, révèlent nettement qu'à l'époque de leur création il n'existait pas encore de sculptures monumentales; et nous connaissons d'autre part des réalisations de la petite plastique qui, par leur attitude déjà, présupposent des prototypes contemporains ou plus anciens dans la grande plastique. Parmi ces dernières se classe le goulot d'un lécythe presque miniaturiste en forme de tête de femme; aux premières appartient un petit bronze attique, né pour ainsi dire dans l'intervalle entre l'art géométrique et l'art orientalisant des années autour de 700 av. J.-C. La statuette de bronze – elle représente un guerrier, elle aussi – est emplie d'une dynamique beaucoup plus puissante que le bronze de guerrier géométrique examiné plus haut. Cette dynamique se projette dans l'espace. La preuve en est le *Spreizstil* (style centrifuge, «écarquillé»), dans lequel la figure se trouve composée: la position écartée des jambes, celle des bras, angulairement tendus vers des côtés différents; la dextre tenait à l'origine la lance, la gauche le bouclier. Il y a plus: dans son seul maintien déjà, la statuette a quelque chose d'agressif, et le point de départ de cette composition

*Relation entre petite et grande plastique*

PL. PAGE 43

FIG. 6

dynamique est le regard provocant et «propulsif» des yeux espacés, représentés plastiquement. Le caractère impétueux, voire même incontrôlé, de la mise en forme annonce des tableaux céramiques attiques tels que la scène odysséenne décrite.

PL. PAGE 43 Le contraste est total entre une telle conception formelle et la tête qui couronne le petit lécythe. Il a été dit à juste titre que cette figuration plastique, haute de quelques centimètres seulement, réalisait la notion de *monumentalité intérieure*. Les proportions ont acquis de la fermeté; la surface plastique constitue une limite infranchissable entre le mouvement intérieur et l'espace environnant, neutre. D'où de telles créations ont-elles reçu leur univers de formes et leur contenu durable? Avec l'apparition de la grande plastique, l'art grec s'est transformé. Ce phénomène se manifeste tôt ou tard dans les diverses régions grecques, consciemment ou inconsciemment chez les divers artistes. Mais au moment où la nouvelle dimension devient visible, toute réalisation plastique, grande ou petite, y participe.

Aucune autre ville grecque ne nous a conservé autant de vases du VII^e siècle que Corinthe; d'aucune autre ville, non plus, ont été exportés autant de vases, spécialement vers les colonies grecques dans le sud de l'Italie et en Sicile. Or, étant donné que les dates de fondation de ces établissements de colons permettent de calculer une ossature chronologique, une datation absolue dans des limites relativement étroites devient possible en ce qui concerne précisément les diverses phases de développement de la peinture de vases corinthienne. En raison des représentations qui s'y trouvent peintes, le petit lécythe (flacon pour huile de toilette) de Paris est à situer dans les années autour de 650 av. J.-C. Malgré la hauteur réduite du minuscule récipient, il porte deux frises figurées. Sur celle du bas une meute de chiens alertes pourchasse un lièvre; sur celle du haut figure une représentation empruntée à la légende des héros, la lutte pour un guerrier tombé et d'autres combats singuliers héroïques. Comme dans cet exemple, de nombreux autres thèmes de la sphère

FIG. 6 – *Statuette de guerrier de l'Acropole, bronze. Débuts du VII^e siècle av. J.-C. Athènes, Musée National (Athenische Mitteilungen 1930 annexe XLIV, à gauche)*

Petit lécythe protocorinthien de Thèbes. Milieu du VIIᵉ siècle av. J.-C.
*Hauteur : 6,8 cm. Paris, Musée du Louvre. Cf. page 41*

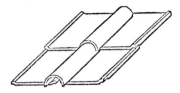

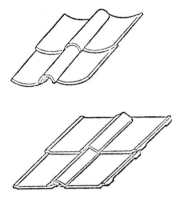

FIG. 7 – *Types de tuiles grecques*:
*laconien, sicilien et corinthien (W.B.
Dinsmoor, The Architecture of Ancient
Greece 44, fig. 16)*

légendaire des dieux et des héros apparaissent pour la première fois sur des vases corinthiens. Cela atteste déjà l'imagination féconde et le talent figuratif des Corinthiens. Dans ce contexte il convient d'ailleurs de noter tout particulièrement que les vases corinthiens sont les premiers à nous présenter le type de l'Athéna à la lance, l'effigie de l'Athéna Promachos attique – longtemps avant qu'elle ne soit connue à Athènes. Dans cette Athéna armée, qui était aussi la divinité poliade de Sparte, il faut manifestement voir la descendante directe d'une «*déesse du bouclier*» du IIe millénaire, dont l'effigie nous est conservée sur une bague-cachet et sur un stuc de Mycènes.

*Innovations techniques* Pour les débuts de l'hellénisme, les nouveautés, les «inventions» techniques et artistiques, par lesquelles se trouve chaque fois fondée une tradition nouvelle, sont la marque certaine d'une concentration spirituelle, d'une activité artistique. Dans le domaine de la peinture de vases, il est ainsi particulièrement important de noter que, selon le témoignage des trouvailles archéologiques, la technique des *figures noires* fut pour la première fois mise en œuvre à Corinthe. Ce terme signifie que la plupart des figures et des objets de la décoration sont restitués en tant que surface uniformément couverte de noir, à l'intérieur de laquelle le dessin des détails est appliqué par incision (sans doute à l'aide d'une pointe de métal), après la cuisson, de manière à faire redécouvrir par le tracé le fond clair de l'argile. On reconnut bientôt les possibilités infinies offertes dans l'applica-

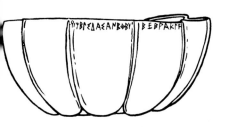

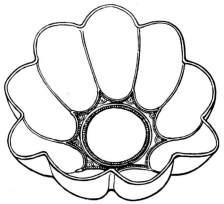

FIG. 8/9 – *Phiale, ex-voto des Cypsé-lides, or. Vers 630 av. J.-C. Diamètre: 16,8 cm. Boston, Museum of Fine Arts (Bull. Boston XX, No 122, 65–68)*

tion et la variation de cette technique, qui devait conquérir assez rapidement d'autres ateliers, ainsi vers 630 les poteries d'Athènes. Mais ce n'est là que l'une des «inventions» dont pouvaient se targuer les Corinthiens. La tradition ultérieure rapporte que l'art des modeleurs d'argile était intensivement pratiquée à Corinthe, et qu'il faut probablement rechercher dans ce centre les premiers débuts de la plastique en relief. La décoration d'antéfixes avec des têtes humaines représentées en relief passe pour une invention corinthienne; et un système de couverture avec des tuiles plates à rebord relevé, dont chacune possède une arête de faîtage, est en outre appelé toit *corinthien*. Une autre découverte allait être de la plus haute importance pour l'art grec, et là encore d'abord pour l'architecture: la toiture plate à deux versants, qui délimite sur le devant et sur l'arrière de l'édifice le tympan vertical. Déjà au Ve siècle av. J.-C., Pindare fait remonter aux Corinthiens l'emploi du tympan de fronton dans l'architecture des temples *(XIIIe Olym-pique*, 20 et suiv.). Il est fort probable que le toit corinthien et le tympan se soient réciproquement déterminés lors de leur création. Ainsi seulement, le temple d'ordre dorique pouvait trouver sa forme canonique. De même, pour le développement de l'art du relief, les représentations sur les métopes, mais principalement sur les tympans eux-mêmes, auront constitué des stimulations toujours renouvelées.

FIG. 7

Du point de vue du Grec, toutes ces inventions sont le symptôme

45

le plus clair d'une grande énergie spirituelle, culturelle. Cependant, pour faire justice à l'importance de Corinthe au sein du monde archaïque, il faut se représenter que le commerce le plus actif avec l'Orient avait ici son point de départ, et que, de plus, la plus puissante colonie occidentale, Syracuse, avait été fondée à partir de ce foyer (734 av. J.-C.). Ces données témoignent aussi de la puissance financière et économique de la ville et de la région de Corinthe, qui s'en trouvent pour ainsi dire conditionnées en retour. Corinthe était également au VI$^e$ comme au V$^e$ siècle av. J.-C., voire jusqu'à sa conquête par une armée romaine en 146 av. J.-C., une des cités les plus riches et influentes de Grèce. Cette position privilégiée tardive n'a cependant, cela semble certain, aucune commune mesure avec le rayonnement de Corinthe aux VIII$^e$ et VII$^e$ siècles avant notre ère. Pour expliquer ce phénomène il faudrait poser une fois de plus le problème de la possibilité et de la force de l'influence orientale. Nous avons déjà parlé de l'activité commerciale. Cependant, un autre rapport avec le Proche-Orient se dessine dès que l'on précise que Corinthe vit apparaître très tôt et pour une durée assez longue le régime politique grec dont l'origine se situait dans les principautés et les satrapies orientales: la *tyrannie*.

*La tyrannie*

Le tyran n'a absolument rien de commun avec les «rois», qui, dans la poésie épique et en particulier dans l'œuvre d'Hésiode, règnent patriarcalement sur des populations paysannes. Certes, il était lui aussi issu de la noblesse, mais plutôt d'une noblesse de seconde zone, laquelle n'exerçait à l'origine qu'une faible influence sur le pouvoir. Et sa fonction au sein de la vie politique représente en fait une autocratie, qui s'affirme contre l'aristocratie en la privant de ses droits. La voie pouvant conduire à une telle situation est presque toujours le coup d'Etat, lors duquel le chef révolutionnaire s'appuie sur les couches les moins favorisées de la population urbaine, sur les «soldats», si possible sur une garde du corps parfaitement armée. Ce développement, qui nous est bien connu par l'histoire du VI$^e$ siècle, semble aussi probable pour le VII$^e$ siècle. Ces tyrans font d'abord leur apparition dans les Etats isthmiques, à Mégare, à Corinthe et à Sicyone; le plus influent, véritable fondateur de dynastie, était *Cypsélos de Corinthe*. Son nom est aussi inscrit en

Fragment d'un relief architectonique de Mycènes, pierre calcaire. Troisième quart du VIIᵉ siècle av. J.-C. *Hauteur: 40 cm. Athènes, Musée National. Cf. pages 49 et suiv.*

lettres indélébiles dans l'histoire de l'art grecque, car il fut un pour-
voyeur d'œuvres d'art et un protecteur des grands sanctuaires con-
tinentaux. Lui-même et ses fils devaient envoyer à Olympie et à
Delphes de somptueuses offrandes votives, qui y suscitèrent l'admi-
ration pendant des siècles. La pièce principale était une statue ou
statuette de Zeus, qui, si elle n'atteignait pas la grandeur naturelle,
n'en était pas moins en or pur. Un précieux coffret en bois de cèdre,
avec d'innombrables représentations mythologiques, nous est aussi
attesté par de seules descriptions littéraires. Un heureux hasard
nous a toutefois préservé l'un de ces ex-voto, assurément plus

FIG. 8 ET 9 modeste. Il s'agit d'une phiale en or, c'est-à-dire d'un vase rituel
de libations, en forme de coupelle avec une petite saillie au centre.
On ne peut qu'admirer la délicate facture artisanale de ce vase en
or repoussé, qui offre un diamètre de 16,8 cm pour un poids de
836 g. La finesse d'exécution va ici de pair avec une extrême
sensibilité de la forme artistique. L'effet premier vient des simples
formes plastiques de la calotte sphérique centrale *(omphalos)* et des
neuf côtes qui l'entourent. Ce n'est qu'un examen plus approfondi
qui révèle la fine ornementation perlée double, laquelle délimite
le centre et les côtes à l'intérieur du récipient. Sur le bord extérieur
se trouve estampée une inscription en lettres corinthiennes conformes
à l'usage du VIIe siècle finissant. Les quatre mots de cette adjonction
épigraphique nous apprennent que la coupe a été consacrée par les
Cypsélides, c'est-à-dire par les fils de Cypsélos, avec (le butin d')
Héraclée (Hérakléa). Sans autre précision, la ville d'Héraclée n'est
plus identifiable avec certitude; il s'agissait sans doute d'une
agglomération sur le golfe d'Ambracie. Cependant, grâce à son
inscription, cette phiale est aussi pour nous un document historique.
La continuité des institutions politiques, c'est-à-dire du gouvernement autocratique d'un usurpateur calqué sur le modèle oriental,
ne devait pas contribuer pour peu à la puissance durable et aux
succès de Corinthe à l'époque archaïque primitive, et également à
son épanouissement artistique. Certes, elle aussi, elle n'était qu'une
donnée initiale et non pas une cause. Mais il semble évident que,
dans la plupart des cas, la tyrannie a plutôt favorisé que freiné la
vie culturelle. Même pour l'énorme quantité et la bonne qualité

des vases corinthiens, elle aura sans doute été une condition préalable parmi d'autres, plus que le fait qu'à proximité de Corinthe se trouvaient et se trouvent encore de riches gisements d'argile exploitable.

Nous avons déjà pu constater que la fécondité des Corinthiens dans la technique et l'artisanat ne se limitait nullement à l'industrie céramique. La fermeté de leurs formes de style se révèle aussi dans la plastique. Cela était déjà apparent, pour le moins en ce qui concerne le petit format, dans le goulot du petit lécythe du Louvre. PL. PAGE 43 Les proportions de ce visage ressemblent d'une manière frappante à celles d'une tête de femme sur un relief de calcaire de Mycènes. PL. PAGE 47 L'extension de la face et le tracé de sa délinéation sont pareils. Egalement pareilles sont la coupe des yeux et la forme du nez; très analogues dans leur élaboration formelle sont les arcades sourcilières d'une facture légèrement plastique. La délimitation du front vers le haut obéit au même parti d'horizontalité. Les deux têtes présentent en outre une coiffure identique, la «perruque à étages». Il en résulte qu'elles ne peuvent pas être séparées par un grand écart chronologique et qu'elles doivent de plus appartenir à la même sphère artistique, la technique et la matière du lécythe ayant identifié cette dernière avec la corinthienne. D'ailleurs, il n'est pas étonnant que le relief ait également vu le jour dans cette sphère artistique. Au milieu du VII$^e$ siècle, aucun autre centre ne pouvait rivaliser avec la position prédominante de Corinthe dans le nord-est du Péloponnèse. Les cités voisines reconnaissaient manifestement la primauté de Corinthe au même titre que – assurément pas toujours avec bonne volonté – les colonies politiquement dépendantes, même quand elles étaient situées aussi loin de la métropole que Corcyre (Kerkyra-Corfou) et Syracuse. La distance entre Mycènes et Corinthe n'atteint en revanche qu'un peu plus de 30 km.

Or, le relief démontre en même temps que les sculpteurs corinthiens ont fait partie de ces artistes qui allaient être les premiers à donner des impulsions décisives à la décoration plastique des temples relevant de l'ordre d'architecture dorique. Il est très probable que le relief s'intégrait dans une scène d'ensemble, dont le type icono- *Rapport entre plastique et architecture* graphique devait garder valeur d'exemple jusqu'au temps du classique à son apogée. Sous un listel de couronnement horizontal, dont la face antérieure a éclaté, nous voyons un visage de jeune femme présenté en parfaite frontalité. Il est encadré sur les côtés par la riche chevelure bouclée, divisée en godrons horizontaux, en haut par une rangée double de petites mèches en coquille. Le personnage était vêtu d'une sorte de tunique (chiton), dont l'extrémité apparaît au bas du cou, mais en outre d'une grande étoffe ou d'un manteau, qui se trouvait placé sur la tête, avec un pan, comme le montre encore le relief, tiré par-dessus la poitrine, sans doute par la main droite. Cependant, le mouvement du bras gauche peut être également restitué : la main gauche tirait manifestement le manteau très loin vers la droite. Car le triangle d'ombre au-dessus de la tempe gauche se situe dans le creux du manteau, est délimité en bas par la chevelure, mais en haut par la bordure du manteau, tiré presque horizontalement vers la droite. Le motif peut uniquement s'expliquer comme *dévoilement*. En fait, la figure est composée par référence à une seconde figure. Quand on établit la comparaison avec la représentation du couple divin de Zeus et d'Héra sur une métope du temple d'Héra à Sélinonte, plus récente de deux cents ans, ou encore avec la composition du même couple divin, plus analogue encore, au centre de la frise du Parthénon, l'interprétation du relief de Mycènes devient certitude. Il s'agit de la même scène, qui est ici représentée avec des moyens plus simples, mais d'une façon non moins impressionnante. Le personnage féminin du fragment de relief est une déesse et représente probablement Héra. Ce fragment de relief appartient à un temple qui fut construit au VIIe siècle sur l'Acropole de Mycènes. A proximité de ce temple a été découverte une inscription de bronze, laquelle est de 150 ans plus récente, approximativement, que le relief, et mentionne peut-être une Athéna Polias. Néanmoins, il n'est pas certain que cette Athéna soit une divinité tutélaire de Mycènes, et encore moins que le temple de l'Acropole ait été consacré à Athéna. Il n'est même pas exclu que le temple auquel appartenait le relief ait été dédié à Héra, à l'instar de celui de Sélinonte : l'Argolide avec en outre Samos étaient d'ailleurs les deux foyers primitifs du culte d'Héra.

«Dame d'Auxerre», pierre calcaire. Troisième quart
du VIIe siècle av. J.-C. *Hauteur : 75 cm. Paris, Musée
du Louvre. Cf. pages 52 et suiv.*

Mais le relief n'a pas pu faire partie d'une série de métopes canoniques comme en possède l'édifice sicilien. Le relief de Mycènes a été créé à une époque où l'élaboration canonique de l'ordre d'architecture dorique n'était pas encore achevée. D'autres fragments de Mycènes, qui appartiennent à la même série de reliefs, le démontrent, ne peuvent pas être qualifiés de véritables métopes. L'édifice, qui aura donc sans doute été un temple d'Héra, se situe par conséquent dans une phase de développement encore *protodorique* de l'architecture.

PL. PAGE 51 On a tenté de relier stylistiquement au relief de Mycènes la déesse d'un lieu de trouvaille inconnu, passée d'abord d'une collection privée au Musée d'Auxerre, pour ensuite aboutir comme prêt au Musée du Louvre. Bien qu'une parenté stylistique soit évidente, une telle connexion n'est cependant nullement assurée. Plus fréquemment encore, on a tenu la «*Dame d'Auxerre*» pour une œuvre crétoise, en raison de certains détails – la stylisation des cheveux, la plasticité des seins, l'ornement sur la face antérieure du chiton –, la création de cette figure pourrait d'ailleurs également se localiser à Samos ou dans l'une des Cyclades. Dans le cadre de notre étude, c'est toutefois ici que son examen semble le plus approprié. Car, si elle n'est pas issue du même atelier que le relief de Mycènes, elle est pour le moins née au cours de la même phase de développement de l'art grec. Et l'effigie en tant que telle peut nous suggérer comment il faut se représenter, par exemple, l'ensemble de la figure d'Héra du relief. La matière dans laquelle ont été travaillées les deux œuvres d'art, un calcaire amorphe, légèrement jaunâtre, est également la même. Cependant, le costume est différent, la coiffure modifiée. Par-dessus un chiton à ornements géométriques, la Dame d'Auxerre porte la «pèlerine» courte que l'on rencontre aussi à Samos et en Crète. La subdivision principale des boucles de part et d'autre du visage consiste en une particularisation verticale de diverses nattes. Dans la forme des sourcils et dans le détail des paupières on peut également constater de légères différences par rapport au relief de Mycènes. La grandeur absolue des figures est en revanche très rapprochée: la statuette d'Auxerre atteint une hauteur de 75 cm; étant donné que le fragment de relief mesure 40 cm de haut, la taille primitive des personnages du relief devait se situer autour de 70 cm.

Donc, si nous devions même attribuer la déesse du Louvre à la sphère artistique corinthienne, nous n'aurions pas encore acquis pour le nord-est du Péloponnèse une réalisation de la statuaire de grandeur naturelle. Les impulsions déterminantes pour l'avenir, le courant principal de l'évolution au sein de la catégorie de la plastique viennent maintenant des statues de taille naturelle ou plus grandes que nature, voire même colossales. Il ne subsiste que peu de vestiges de cette phase initiale de la grande plastique grecque, mais suffisamment pour reconstituer l'état primitif. Leur matière est surtout le marbre, qui, pour la première fois depuis la civilisation cycladique du IIIe millénaire av. J.-C., est à présent réutilisé par les sculpteurs grecs. Certainement aussi le bois – cela est attesté par la tradition littéraire –, avec en outre des statues dont l'âme de bois était recouverte de plaques de bronze ajustées par rivets. La plus ancienne effigie grecque de grandeur naturelle qui nous soit conservée est la statue de marbre d'Artémis, dédiée à Délos par FIG. 10 la Naxienne *Nicandré*. Nous devons cette information précise à la statue elle-même, plus exactement à l'inscription que le sculpteur naxien a gravée dans le vêtement en délicates lettres archaïques. D'après les formes stylistiques et les caractères d'écriture de l'inscription, il est possible de dater cette figure votive. Elle a vu le jour au milieu ou alors peu avant le milieu du VIIe siècle. A elle se rattachent dans l'ordre chronologique quelques statues plus récentes, plus ou moins fortement fragmentées. Les principaux lieux de trouvailles sont Délos et Naxos. Non sans influence sur le développement ultérieur auront sans doute été les riches carrières de marbre – d'une pierre de bonne qualité – des Cyclades ainsi qu'une certaine tradition artisanale, qui se forma notamment à Naxos et à Paros. Ce n'est que dans le cours subséquent du VIIe siècle que la tendance à des formes aussi monumentales extérieurement allait gagner d'autres régions grecques, peut-être le plus tardivement l'île de Rhodes dans l'Est et le domaine corinthien dans l'Ouest.

A Rhodes, apparemment, la plastique ne joue en général pas de   *Rhodes*

53

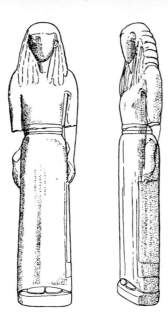

FIG. 10 – *Artémis, ex-voto de la Naxienne Nicandré, marbre, du sanctuaire d'Artémis à Délos. Vers 660 av. J.-C. Hauteur: 1,75 m. Athènes, Musée National (F. Matz, Frühgriechische Kunst I pl. 78)*

rôle très important. Pendant tout le VIIᵉ siècle et encore pendant une partie du VIᵉ, les produits caractéristiques de l'art de cette île seront les vases ornés de frises animales. Une décoration très calme et harmonieuse, mais aussi un peu prosaïque. Le caractère du décor, qui rappelle l'ornementation des tapis, l'ascendance orientale et le tempérament des modèles sont ici particulièrement bien conservés. Il en va tout autrement à Corinthe. Nous avons vu que, dès le milieu du siècle, sur les petits lécythes à huile corinthiens, le tableau d'action mythologique était autant chez soi que les représentations pleines de vie empruntées à l'existence quotidienne des hommes de ce temps. A présent, ce répertoire figuratif s'approprie également, en les adaptant totalement à l'esthétique grecque, des schémas iconographiques de l'Orient ancien, tels que le groupe combattant de lion et taureau, qui se trouvent rendus avec un sérieux dramatique dont la «monumentalité intérieure» est immédiatement manifeste. Sur le fond d'argile du vase, la technique de l'incision rend possible un effet, qui est généralement le privilège de la netteté tranchante de la gravure sur métal; bien propre à l'art céramique est naturellement l'emploi réservé de couleurs opaques – blanc (maintenant disparu, à l'origine sur la crinière du lion) et pourpre,

PL. PAGE 55

PL. PAGE 58

*Corinthe*

Œnochoé de Grèce orientale à frises animales. Seconde moitié du VIIᵉ siècle av. J.-C.
*Hauteur: 29 cm. Boston, Museum of Fine Arts. Cf. page 54*

contrastant avec la surface sombre du vase, à laquelle la cuisson confère une teinte verdâtre.

De nouveau un peu plus récent que le vase à verser, l'olpè dont provient le tableau que nous venons d'évoquer est la pièce maîtresse, le véritable sommet de la céramique corinthienne. Il s'agit de la fameuse «olpè Chigi», aujourd'hui conservée au musée installé dans la villa de Jules II, pape de la Renaissance (Museo Nazionale di Villa Giulia). Avec sa hauteur de 26 cm, elle est déjà relativement grande pour un vase corinthien. Mais c'est néanmoins en raison de la finesse miniaturiste de ses frises figurées que le peintre des tableaux de cette olpè mérite la célébrité. Le registre supérieur offre un tableau de bataille: ici, cependant, la rencontre ne se réduit plus à des combats singuliers de héros, mais deux troupes de guerriers, disposées en ordre de bataille, marchent au combat l'une contre l'autre. Cette zone est suivie plus bas d'une frise étroite, dans laquelle des chiens de chasse poursuivent des chèvres de montagne. Le registre suivant, qui constitue la seconde des deux frises principales, offre trois scènes distinctes les unes des autres:

PL. PAGE DE TITRE
PL. PAGE 62

cortège de chars et procession de cavaliers, tableau séparé par un sphinx de dessin héraldique de la représentation d'une chasse au lion; sous l'anse, enfin, un Jugement de Pâris. Dans cette dernière représentation seulement, la plus endommagée sur l'olpè, le peintre ajoute aux figures correspondantes les noms d'Alexandre, Athéna, Aphrodite et (sans doute aussi) Héra et Hermès, les caractérisant ainsi comme protagonistes du mythe divin. Nous pouvons probablement en déduire que les autres figures ne sont pas à interpréter comme des personnages mythiques, mais comme des figurants de la vie quotidienne. D'une vie, toutefois, qui n'est pas seulement liée à la réalité, mais à laquelle contribue aussi une puissante imagination. Car il ne faut pas supposer, par exemple, que dans la montagne du Péloponnèse avaient alors lieu des chasses au lion. En fait, un type iconographique assyrien est ici adapté aux représentations grecques et à l'univers hellénique dans son ensemble, et ensuite restitué dans l'adroite facture figurative du pinceau corinthien et surtout de la pointe à inciser corinthienne. Les cavaliers ainsi que leurs montures et chevaux de main sont animés avec la même hardiesse bien archaïque, mais aussi avec fierté et grâce. L'antique coiffure dite «perruque étagée» se trouve abandonnée, remplacée par une division de la chevelure en grosses nattes, retombant devant et derrière les épaules. Certainement voulue est la merveilleuse richesse de nuances, déterminée à la surface du vase par les modalités de la cuisson et allant d'une teinte jaunâtre à une teinte feuille-morte, du nacarat au rouge foncé et au rouge brun noirâtre. Mais ce qui distingue peut-être le plus ces images, c'est la façon dont leur vie se situe si inconsciemment et totalement dans le présent, c'est leur caractère humain, terrestre. Bien qu'il ne puisse être question d'humour et encore moins de parodie. Un certain «enjouement», une confiance profane s'attache même à des scènes telles que la chasse au lion, qui finit pourtant très mal pour l'un des participants et qui n'est même pas dépourvue de traits de cruauté. Ces constatations s'appliquent au plus haut degré à la dernière frise du bas, où des chasseurs heureux, tapis derrière des buissons, guettent des lièvres et des renards. De même qu'un anthémion (ornement courant faisant alterner des palmettes et des fleurs de lotus) soigneusement incisé sur l'embouchure du vase délimite les frises figurées vers le haut, ainsi une zone de vernis noir et l'habituel ornement radié les délimitent vers le bas, au-dessus de l'anneau d'argile formant la base de l'olpè.

D'époque contemporaine et d'une qualité artistique égale, voire même supérieure, est la statuette d'ivoire d'un éphèbe agenouillé, découverte à Samos. Cependant, contrairement à la cruche corinthienne, il ne semble pas qu'elle puisse être assignée dès à présent à une sphère artistique régionale stylistiquement définie. Une attribution de cet ivoire au domaine corinthien se heurterait à des difficultés, bien que la coiffure ressemble à celle des éphèbes de l'«olpè Chigi», et que les nattes retombant de part et d'autre devant les épaules soient même réellement identiques aux représentations comparables sur la cruche. L'analogie s'étend également à la précision agile du tracé des contours. Mais dans les ivoires corinthiens assurés la forme du visage est nettement triangulaire, non pas arrondie comme dans la statuette de Samos. Ce trait, ainsi que l'aspect des paupières et des sourcils, trahirait plutôt un certain

IVOIRES
S.I. 2 ET 3

57

Olpè protocorinthienne (détail), de Véies. Troisième quart du VIIe siècle av. J.-C. *Hauteur du vase:
28 cm. Rome, Villa Giulia. Cf. page 54*

ionisme. D'autre part, les têtes samiennes d'argile et de métal à peu
près contemporaines ne fournissent pas non plus de parallèle véritablement convaincante. Il faut certainement tenir compte du fait
que le métier du sculpteur en ivoire le poussait à une existence
instable, une vie errante. Il était obligé, lui ou son client, de se
procurer de l'Inde lointaine la matière dans laquelle il travaillait.
Dans une «*Vie*» d'Apollonios de Tyane (Philostrate, Ap. 5, 20),

les paroles suivantes sont prêtées au célèbre philosophe néopythagoricien: «Jadis, dans les temps anciens, les artistes n'apportaient que leur habileté et leur outillage (les «outils du sculpteur en ivoire» sont expressément mentionnés), et exécutaient ensuite leurs commandes sur place.» La tradition de ce métier, précisément, a été sans nul doute empruntée par les Grecs aux Syriens, Phrygiens et Phéniciens; il est aussi possible que des artistes orientaux aient voyagé en Grèce, et qu'ils s'y soient établis pour être finalement hellénisés. Comparée avec des ivoires du Proche-Orient et de Phénicie, la statuette de Samos s'avère en tout cas purement grecque. Pour ce qui est toutefois des procédés du métier, principalement de la technique des pièces rapportées, de l'incrustation – les boucles du front, les sourcils, les yeux, le poil hypogastrique –, l'artiste qui l'a exécutée s'affirme nettement en élève des experts ivoiriers syriens et phéniciens. Des restes d'ambre se trouvent encore aujourd'hui dans l'«œil» de chaque boucle frontale. Ce qui distingue cependant la statuette dans son aspect d'ensemble de toute création orientale, c'est la clarté «sacrée et sobre», presque transparente de la construction, sa structure en quelque sorte cristalline. Cela est d'autant plus remarquable qu'il ne s'agit pas, en l'occurrence, d'une petite œuvre d'art autarcique, mais seulement d'une partie d'un instrument. Diverses possibilités ont été envisagées pour compléter cet ivoire. La solution la plus plausible est celle qui associe la figurine à une seconde statuette d'éphèbe, conçue comme son pendant en sens opposé, les deux tenant lieu des «cornes» d'une FIG. I I lyre, c'est-à-dire des montants qui relient la table de résonance à la traverse (joug) sur laquelle sont tendues les cordes. La rare valeur artistique des parties d'ivoire n'a pas souffert de l'intégration subordonnante dans un contexte plus vaste: à l'origine, l'instrument complet devait aussi être d'une insigne beauté aérienne.

Grâce à d'heureuses trouvailles nouvelles et inattendues, l'histoire primitive de la statuaire grecque se dessine à présent plus nettement. Elle a été en particulier enrichie par les fouilles françaises à Délos, grecques à Naxos, allemandes dans le Céramique et américaines sur l'Agora d'Athènes, en ce qui concerne la grande sculpture même. Néanmoins, l'état d'esprit conduisant à la grande plastique peut

PLASTIQUE DE
PIERRE, DE BOIS
ET DE BRONZE

59

aussi se révéler, nous l'avons vu, dans des œuvres d'art de dimensions plus réduites. Sous ce rapport, les trouvailles de petites pièces, telles que la statuette de bois d'Héra, de la première moitié du VIIᵉ siècle, ou la figurine d'ivoire que nous venons d'examiner, de la seconde moitié, ont également leur importance pour l'histoire de la sculpture. Les deux statuettes ont été découvertes sur le site du sanctuaire d'Héra à Samos au cours de ces dernières années; elles se trouvent à présent au Musée National d'Athènes, mais n'y sont pas exposées au public. Dans ce contexte, il est toutefois essentiel de mentionner une trouvaille un peu plus ancienne (1941): la

PL. PAGE 64 statuette de bronze d'un conducteur de char, exhumée à Olympie, dans la proximité immédiate du stade. Les mains perforées, fermées en poing, tenaient les rênes, la droite en outre l'aiguillon; lui aussi, il s'intégrait par conséquent dans un ensemble plus vaste, faisait partie d'un «groupe» de chevaux, char et charrier. De tels attelages étaient couramment dédiés dans le sanctuaire d'Olympie depuis l'époque géométrique. Telle qu'elle est isolément conservée, notre statuette se distingue cependant par une affinité particulière avec le type principal de la plastique statuaire grecque, qui, aujourd'hui, selon un usage remontant à l'archéologue grec Léonardos, est communément appelé Couros (kouros). C'est le type du jeune homme debout, nu, frontal, conçu pour l'essentiel d'une façon symétrique, la jambe gauche légèrement avancée, les bras retombant le long du corps. Reproduit des centaines de fois, ce type est en fait représentatif de l'art archaïque grec dans son intégralité. En comparaison, la plastique proprement «géométrique» est en dernière analyse, malgré sa stylisation plus prononcée, moins schématique: ses proportions ne sont pas définitivement fixées, et on décèle constamment une féconde compétition entre naturalisme et stylisation. En dépit de cette stylisation, la sculpture géométrique paraît moins uniforme dans son ensemble. Chaque statue particulière accuse – parfois dans le motif de son mouvement déjà, mais presque toujours dans le détail de ses formes – des traits individuels prononcés. Le contraste est ici complet avec le style archaïque élaboré. Au lieu de la diversité, au lieu des possibilités variées, nous avons une conception unique, d'une rigueur mathématique, donc précisément le type.

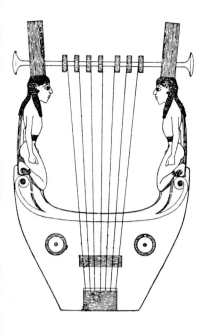

FIG. 11 – *Lyre de Samos. Reconstitution et dessin de D. Ohly (Athenische Mitteilungen 74, 1959, 54 ill. 7)*

De même que, chez Platon, le monde des phénomènes consiste dans les images, dans le reflet des Idées, ainsi chaque statue particulière de Couros tente en quelque sorte de réaliser, de concrétiser l'idée du Couros. Que le type tolère ultérieurement certaines variantes dans des cas d'exception, qu'il existe à côté du Couros les types de la figure féminine debout et vêtue, et de la statue assise vêtue, ne change rien à la donnée fondamentale.

D'ailleurs, la théorie platonicienne des Idées et les types formels de l'art archaïque sont effectivement des phénomènes apparentés. Mais il ne faudrait pas considérer la sculpture archaïque comme une concrétisation de la théorie des Idées préfigurée dans les arts plastiques plusieurs siècles avant sa formulation doctrinale. Car, en premier lieu, dans sa tension entre naturalisme et stylisation, la sculpture du temps de Platon et l'«art classique» en général se comparent de nouveau plus à la production préarchaïque, à l'art géométrique – on ne peut donc pas relever ici un développement constant qui irait dans le sens de l'idée platonicienne. En second lieu, enfin, les types archaïques n'acquièrent leur véritable signification

Chasse au lion. Frise figurée de l'«olpè Chigi». Vase protocorinthien du troisième quart du VIIe siècle av. J.-C. *Hauteur de l'olpè: 26 cm. Rome, Villa Giulia. Cf. page 56*

que lorsqu'on interroge les formes extérieures sur leur intention intrinsèque, sur la nature de l'idée qu'elles servent. Or, cette idée est totalement étrangère aux thèses du platonisme.

Il existe de nombreuses périodes de l'histoire au cours desquelles le contenu des représentations des arts figurés est la *nature*. Généralement parlant, cette constatation est donc valable pour beaucoup de pays et de peuples, pour beaucoup de phases de développement de l'histoire de l'art. Cependant, à l'universalisme de cette proposition correspond aussi une grande diversité de *possibilités* de représentation. La première et plus importante restriction à apporter à cette vérité fondamentale en ce qui concerne l'art archaïque évolué des

Grecs est qu'ici la nature se conçoit comme donnée physique immédiate, tangiblement présente. Sa conséquente réalité d'expérience est ici la première caractéristique de la nature. C'est aussi dans ce sens qu'il faut interpréter le fait que les philosophes grecs de cette époque soient appelés philosophes de la nature. Ainsi doit se comprendre la conception de Thalès, qualifiée par Nietzsche à juste titre d'accomplissement génial et révolutionnaire de la pensée, que *l'eau serait à l'origine de toutes choses.* De même que les quelques types fondamentaux de l'art archaïque, cette proposition philosophique exprime le besoin inconscient, besoin allant presque jusqu'à la manie, de remonter aux formules les plus simples, surtout de rechercher le principe originel, les débuts, dans la donnée la plus élémentaire. En outre: ce principe originel, cette donnée irréductible n'est pas de l'ordre de la transcendance, n'appartient pas à l'univers de la pure spéculation théorique, au domaine de l'affabulation et de la mythologie, mais constitue sous tout rapport une substance d'expérience. Ce n'est qu'en apparence que le philosophe Anaximandre, contemporain plus jeune de Thalès, renonce à la substantialité matérielle de ce principe génétique, lorsqu'il déclare que le non-limité *(to apeiron)*, l'infini est à l'origine de toutes choses. Car on a depuis longtemps reconnu et il est possible d'inférer logiquement des fragments de la doctrine d'Anaximandre que cet *apeiron*, ce non-limité est aussi conçu d'une façon absolument matérielle, comme tenant de la réalité d'expérience. Certes, chez Anaximandre s'est perdue l'extrême simplicité des idées de Thalès, mais en même temps aussi quelque chose de leur caractère grandiose. Le non-limité n'est nullement chez lui l'infini en soi, mais une réalité infinie, de laquelle naissent constamment, «par élimination», des créations substantielles en nombre illimité, et pour cette raison, précisément, le prédicat d'infinité convient au principe originel lui-même, à l'*archè.*

Thalès ainsi qu'Anaximandre sont originaires de Milet, la ville hellénique sur sol anatolien. Il est par conséquent tentant de se demander si l'édifice spéculatif conçu par ces philosophes de la nature ioniens n'aurait pas aussi reçu des influences orientales. Dans la mesure où leurs doctrines sont en quoi que ce soit rede-

vables à l'Orient, il peut uniquement s'agir de la première impulsion, laquelle devait cependant conduire aux formes de pensée les plus caractéristiques et primordiales de l'hellénisme.

Car l'aspect le plus important du schéma cosmologique des premiers philosophes grecs, de leur conception de l'univers – et en même temps le fondement homogène commun des théories de Thalès et d'Anaximandre –, c'est son extrême objectivité. A cette qualité correspond dans les arts plastiques «la représentation absolue de la vie florissante et vigoureuse par la forme artificiellement simplifiée». Que l'esprit et le mouvement, l'être et le devenir sont uniquement vivants dans la forme corporellement saisissable, – cette conviction est si spécifiquement grecque qu'elle devait s'affirmer jusqu'à Platon, au fond même jusqu'au début de la Basse Antiquité *(Spätantike)* au IIIe siècle ap. J.-C. Les arts plastiques font un pas de plus. A l'époque archaïque, pour le moins, le sujet principal de l'art n'est pas l'ensemble de la nature, avec tous ses phénomènes, mais l'être humain lui-même. L'ustensile et l'édifice sont également conçus par référence à l'homme. On a dit et redit depuis longtemps que

Statuette de bronze d'un aurige d'Olympie. Second quart du VIIe siècle av. J.-C. *Hauteur : 23 cm. Olympie, Musée. Cf. pages 60 et suiv.*

la forme du vase ou de la colonne, par exemple, pouvait même être considérée comme une image allégorique de la figure humaine. Cependant, en ce qui concerne la sculpture archaïque, ces données s'appliquent à un tel degré que les statues nous offrent en quelque sorte le rayonnement d'«une fierté consciente et naïve de la beauté et de la perfection du corps propre, reliée à une joie de vivre très éloignée de toute réflexion». Cela constitue en même temps un signe semblant indiquer que l'ère archaïque n'excluait pas en principe l'identification de la statue avec l'être humain. Une telle attitude exige toutefois des statues au moins la *grandeur naturelle*. Les statuettes – si parfaites qu'elles puissent être au sein de leur catégorie artistique, comme le charrier de bronze d'Olympie ou l'ivoire d'une jeune fille d'Ephèse – ne peuvent pas être considérées sous cet aspect. Alors qu'avec la statue d'éphèbe du Metropolitan Museum à New York nous sommes en présence, métaphoriquement parlant, de l'incarnation d'un être humain en soi.

PL. PAGE 64\
PL. PAGE 67\
S.I. 4

Nous avons déjà mentionné les fragments de marbre, par lesquels se trouvent attestées, après le milieu du VIIe siècle, de grandes rondes-bosses du type du Couros. Cependant, la figure nue qu'elles représentent possède encore une suggestion de vêtement, c'est-à-dire une ceinture. En tant que détail du costume, de telles ceintures constituent une tradition reçue de l'époque mycénienne. Au VIIe siècle, elles étaient portées par les hommes comme par les femmes. Des exemplaires particulièrement précieux étaient fabriqués de métal et de cuir en Crète et en Asie antérieure, et exportés vers toutes les régions helléniques. Il n'est pas certain qu'elles entraient dans la composition du costume des athlètes légers. Le nu intégral, qui s'affirmera finalement dans les statues viriles grecques, se situait en tout cas très probablement en relation avec une historiette, qui nous est rapportée dans le contexte des jeux gymniques d'une Olympiade de la première moitié du VIIe siècle. Si cette historiette revêt assurément un caractère anecdotique, elle n'en reflète pas moins des changements réels intervenus dans le costume et ainsi plus généralement dans la conception du corps. Lors de la course à pied, nous dit-on, l'un des concurrent aurait perdu son pagne et serait, de ce fait, arrivé au but le premier. A partir de ce moment,

*Nudité et vêtement*

toutes les courses de vitesse des Jeux Olympiques se seraient disputées nu. Deux autres déductions peuvent en outre se tirer de cette anecdote. Premièrement: que nous pouvons considérer au même titre les statues viriles nues et les compétitions gymniques disputées nu comme caractéristiques et typiques de l'hellénisme. Et deuxièmement: que dans la vie quotidienne ultérieure la nudité demeura l'exception, et que les hommes aussi, comme cela est d'ailleurs attesté par la multitude de tableaux de vases, n'apparaissaient nus que pour les exercices sportifs – et à la rigueur à l'occasion des beuveries particulièrement animées. Cela revient à dire que le nu détache la statue de jeune homme de l'environnement banal tout comme la solennité de l'heure de l'épreuve détache l'athlète du quotidien lors des grands jeux gymniques. La statue signifie également solennité. Ce caractère correspond au lieu et au motif de son érection. Car elle peut être élevée dans un sanctuaire ou sur une tombe. Dans le premier cas elle constitue une offrande au dieu, une consécration, dont l'initiative pourra être publique ou privée. Le dédicant d'un ex-voto sera donc une commune ou, sur proposition à l'assemblée du peuple, une ville, mais aussi un particulier plus ou moins influent, un athlète vainqueur ou ses parents, un chef de guerre ou un capitaine, finalement le représentant de n'importe quel métier, soucieux d'associer favorablement la divinité à sa vie et à son activité. La statue dédiée au dieu pourra signifier, ou bien cette divinité elle-même ou bien le dédicant; cependant, dans maints cas elle pourra aussi revêtir le sens de l'effigie d'un être humain spécialement beau, mais sans autre identification, donc d'une image parfaite.

Quand la statue est dressée sur une tombe, elle ne représente pas uniquement un monument de signalisation funéraire, mais perpétue aussi le souvenir du défunt dont c'est le lieu de sépulture: elle se veut – s'il s'agit d'une statue virile ou féminine – son reflet. Mais cette image n'est jamais physionomiquement fidèle, et telle n'est d'ailleurs pas son intention. Les statues funéraires viriles, nous avons pu le constater, se trouvent déjà détachées par le nu de la banalité de l'apparence quotidienne, des usages conventionnels de la vie courante. Si de nombreux témoignages épigraphiques attes-

tent assurément que des Grecs morts
à un âge précoce étaient vénérés par
des monuments funéraires particulièrement somptueux, il est d'autre part
prouvé que le tombeau d'un homme
décédé à l'âge mûr pouvait être également signalé par une statue de Couros,
donc par l'effigie d'un jeune homme.
On peut par conséquent accepter ces
témoignages comme une preuve du
fait que, dans la vie aussi bien que
dans l'art, le type prévalait d'une façon
déterminante sur le cas particulier.

L'éphèbe de New York est la plus ancienne statue du type du Couros complètement conservée. Il s'agit en l'occurrence d'une effigie funéraire: elle se
dressait à l'origine dans l'enceinte sépulcrale d'une famille appartenant à
l'aristocratie terrienne attique. Sur cette
statue, aussi, s'observent encore de
faibles traces de vêtement; elles évo-
quent cependant moins que la ceinture
une phase de développement antérieure
du costume proprement dit, suggérant
plutôt, avec le collier et le bandeau,
une parure relevant en quelque sorte
de la mode. Les Couroï ultérieurs du
VIᵉ siècle conserveront de ces détails
le seul bandeau, qui maintient et or-
donne la chevelure, étant donné qu'il

Statuette de jeune fille *(korè)* d'Ephèse, ivoire.
Vers 600 av. J.-C. *Hauteur: 6,3 cm. Cambridge,
Fitzwilliams Museum. Cf. page 65*

constitue un élément de la coiffure et ne peut pas non plus être éliminé de la restitution artistique de celle-ci.

Relevons encore un autre phénomène dans le processus évolutif de la plastique archaïque. Il concerne le thème dans son sens le plus restreint. Au sein d'un développement délimité d'une part par la statue votive de Nicandré et d'autre part par le Couros de New York, s'opère un changement thématique dans la mesure où la proportion numérique des statues féminines est nettement dominante au début de ce laps de temps, alors que le rapport se trouve renversé au profit des effigies viriles à la fin. Ce fait, aussi, assigne à la statue de New York une position représentative pour l'histoire de l'art. Avec elle, pour nous en tenir à ce qui est conservé, un sculpteur grec découvre pour la première fois les possibilités et les moyens de créer, dans une libre stylisation, l'effigie d'un être humain dans la catégorie de la grande plastique. Et son coup de ciseau est si personnel qu'on a pu essayer à juste titre de le reconnaître dans une œuvre un peu plus récente.

FIG. 10
S.I. 4

Pour nous, qui partons de données si radicalement différentes dans notre propre existence et dans l'art contemporain, s'impose à présent une extrême prudence dans l'interprétation de toutes les observations énumérées au sujet de la statue de New York. Uniquement en ce qui concerne l'aspect artistique, on peut avancer avec une certaine assurance qu'un sculpteur attique, doué d'un plus puissant génie inventif, s'est emparé de modèles cycladiques, pour les réinterpréter dans l'esprit d'une époque plus jeune, leur redonnant la vie dans une mesure telle qu'il est permis de parler, en présence de la figure dans son ensemble, d'un «printemps d'une redécouverte de l'existence», et du visage seul, déjà même d'un «éveil du jeu physionomique». Il est cependant apparu tout aussi clairement que, parallèlement à cette esthétique novatrice, s'observent également des traces de la tradition, circonstance dont la cause première aura été dans le type lui-même, trouvé préexistant par le sculpteur, et retransmis par lui à ses successeurs, modifié et perfectionné. Dans cette perspective, on doit à cet artiste, outre la réanimation des formes déjà mentionnée, qui se décèle dans chaque centimètre carré de surface plastique, une pénétration plus forte de la figure par le volume matériel, laquelle, malgré la structure géométrique d'une clarté cristalline des quatre plans de vision, fait apparaître la statue à un degré plus élevé que ses antécédents comme une création dotée de spatialité. L'ordre géométrique des plans, auquel est subordonnée la composition de la figure, se manifeste le plus nettement dans la stylisation des muscles et tendons du corps, dont la facture n'est toutefois nullement naturaliste, mais dictée par l'articulation formelle. Des amorces de ces structures sont déjà indéniablement discernables dans le détail anatomique de l'éphèbe d'ivoire de FIG. 11 Samos. Elles s'affirment chez le Couros de New York avec une articulation claire dans chaque plan de vision : sur le dos dans la délinéation des omoplates et des coudes, sur les côtés dans la forme des nœuds des doigts et des péroniers, en vue frontale enfin dans les clavicules, les plis inguinaux et les rotules le plus distinctement. Par la forme du corps du vase, d'un volume accru par rapport aux PL. PAGE 70 exemplaires attiques plus anciens, mais aussi par la clarté particulière du dessin de ses scènes figurées, une amphore découverte dans le port d'Athènes, c'est-à-dire au Pirée, correspond à peu près au degré d'évolution représenté pour la sculpture par la statue de New York. Cette confrontation révèle que la statue, elle aussi, doit encore être située chronologiquement dans le troisième quart du VIIe siècle. Avec la conception globale du rapport entre le corps du vase et le col, de la relation entretenue par ces deux parties avec les anses vigoureuses, le potier auquel est due cette amphore a réussi une mise en forme aussi homogène que le sculpteur avec sa statue. Le peintre toutefois, qui a peint le vase, se situe ici en retrait. Certes, chez lui aussi la forme des images possède pleinement la monumentalité. En outre, la technique des figures noires, qui venait d'être empruntée non sans hésitations par les peintres attiques aux Corinthiens, se trouve à présent totalement maîtrisée et employée pour l'ensemble de la décoration, mais les divers éléments iconographiques sont thématiquement hétérogènes et ne s'insèrent pas dans la composition de la frise figurée pour former un tout harmonieux et convaincant. Sans doute, ce défaut s'explique en partie par le fait que le peintre n'a pas seulement adopté très logiquement la technique picturale de Corinthe, mais aussi

Amphore funéraire du Pirée. Troisième quart du VIIe siècle av. J.-C.
*Hauteur : 1,10 m. Athènes, Musée National. Cf. page 69*

quelques formules figuratives que les peintres corinthiens avaient élaborées pour leurs propres tableaux. Ainsi, le lion accroupi, tel qu'il est rendu sous l'une des anses de l'amphore du Pirée, représente dans tous ses détails et dans l'intégralité de sa composition une répétition presque inchangée de prototypes corinthiens. Ces formules constituent des corps étrangers dans le répertoire typologique de l'imagerie attique. La vue principale, qui offre des biges en disposition échelonnée, accuse moins nettement ce manque de cohésion. De plus, la représentation des chevaux peut de nouveau se mettre parfaitement en parallèle avec la plastique, par la manière dont les modèles cycladiques sont ici réinterprétés avec originalité et intégrés dans le système morphologique du style attique, les formes paraissant ainsi à la fois plus vivantes et plus claires. C'est aussi l'amour, la participation affective *(Einfühlung)* à l'essence même du fier volatile, l'empathie si l'on veut, qui se traduit dans le dessin du coq sur le col du récipient. En revanche, les ornements de remplissage entourant les images, les divers registres ornementaux au-dessus et au-dessous des tableaux ne sont pas soudés ensemble pour former un tout artistique, ni entre eux ni dans leur rapport avec les représentations figurées. Un tel accord de toutes les formes figuratives entre elles, puis de tous les éléments de la décoration avec la forme plastique du vase, devait demeurer réservé, à Athènes, au degré d'évolution suivant de l'art céramique.

Pausanias, l'écrivain voyageur et le mythographe de l'époque impériale, affirme des statues du sculpteur Dédale, dont il a encore *Dédale* manifestement vu certaines de ses propres yeux, qu'elles avaient d'une part un aspect étrange, mais se distinguaient d'autre part par quelque chose de divin. D'autres auteurs, en tête Platon (*Ménon* 97), mettent l'accent – naturellement en comparaison et en contraste avec des statues encore plus anciennes – sur le caractère particulièrement vivant des œuvres de Dédale. Ces effigies, nous dit-on, n'auraient pas présenté des membres collés étroitement au corps en un bloc rigide, mais au contraire des membres écartés, déliés, qui auraient pour ainsi dire fait naître l'impression que les statues pouvaient se mouvoir. Ces traditions ont été reliées à juste titre avec le sculpteur du Couros archaïque de New York. Cependant,

Dédale *(Daidalos)* est un nom de métier qui a été porté par plusieurs sculpteurs; il signifie à peu près «artiste habile». Ces arguments ne sont évidemment pas suffisants pour formuler l'hypothèse que le créateur de la statue de New York se serait appelé Dédale. Dans ce cas, la source littéraire peut néanmoins contribuer à l'élucidation de l'arrière-plan sur le fond duquel les Grecs eux-mêmes ont vu de telles sculptures. Toutefois, si cet artiste demeure encore pour nous anonyme, nous avons en revanche la bonne fortune de posséder une des œuvres maîtresses de sa maturité, certes dans un état très PL. PAGE 74 fragmentaire. Mais le chef est conservé! Une tête superbe. Les formes particulières, dans l'élaboration qui apparaît déjà avec la statue de New York, se trouvent ici délivrées à un degré plus fort encore des traits individuels et fortuits, haussées au niveau d'un monde d'éternité, dans le domaine des formes absolument valables. Ainsi, la tête et la statue offrent une merveilleuse oreille ornementale, qui est à la fois pareille et différente: dans le cas de la tête la forme de l'oreille est enrichie et agrandie, cela aussi bien dans les dimensions mesurables qu'en ce qui concerne à présent la correspondance sans faille de détail particulier à détail particulier. Vue de profil, la tête fait surtout valoir les grandes surfaces calmes du visage, vue de face la forme spiritualisée de la haute calotte crânienne, la coupe large des yeux. La hauteur primitive de l'effigie à laquelle appartenait cette tête était de 2,50 m approximativement, soit un tiers de plus que la hauteur de la statue de New York. La matière est la même, à savoir un marbre cycladique de la meilleure qualité. La tête a été découverte il y a cinquante ans, lors des fouilles entreprises dans le Céramique, intégrée dans la masse d'œuvre de la Porte Dipyle (Dipylon) des remparts d'Athènes. Dix ans plus tard, la main droite appropriée allait être exhumée non loin de cet emplacement, et quarante ans plus tard enfin, cinq autres fragments appartenant probablement à la même statue devaient être mis au jour lors des fouilles sur l'ancien marché d'Athènes, c'est-à-dire l'Agora. Des parties de la main gauche, du haut de la cuisse droite et des épaules, des parties du dos, le genou droit et le muscle fessier gauche sont ainsi conservés. Le tracé des cassures est cependant à un tel point défavorable que seuls trois de ces fragments se complètent brisure contre brisure. La construction de la figure entière se laisse néanmoins déceler. Elle semble avoir été plus svelte encore que la statue de New York et dotée de contours très analogues. Le lieu de trouvaille de deux de ces fragments dans la proximité immédiate de la grande nécropole aux portes d'Athènes permet aussi d'inférer que la «statue du Dipylon» aura rempli les fonctions de monument funéraire. Si cette interprétation est correcte, il se sera agi d'une puissante signalisation tombale; par ce signe gigantesque le sculpteur aura sublimé l'image d'un défunt, l'aura transposée dans la sphère du suprapersonnel, le domaine du pur principe. On a pris l'habitude d'appeler ce sculpteur anonyme le «*maître du Dipylon*». Or, du temps de l'*akmè* du «maître du Dipylon», c'est-à-dire de sa maturité d'artiste, nous possédons déjà une signature de sculpteur, conservée sur une base de statue. Cette base a été découverte à Délos et cite le nom d'Euthycartidès, qui n'était pas seulement l'artiste, mais en même temps le dédicant de la statue, laquelle s'élevait jadis sur la base et dont le bas du torse, les jambes et les pieds sont parvenus jusqu'à nous. Cette donnée épigraphique soulève le problème des signatures en général. S'il est certain que ces signatures constituent en quelque sorte une échelle graduée révélant la prise de conscience croissante des individualités propres, et dans ce cas particulier des personnalités artistiques, il n'en demeure pas moins curieux que les plus anciennes signatures connues ne nous livrent pas nécessairement les noms des plus puissantes et originales personnalités artistiques, et que plus tard, si les artistes signent certes très fréquemment leurs œuvres, cette règle n'est pas absolue et ne s'applique pas toujours à leurs meilleures réalisations. Les signatures commencent d'abord sur les vases; cependant, et le fait est caractéristique, elles n'apparaissent pas sur des chefs-d'œuvre des grands centres de production céramique, mais plutôt sur des produits de l'arrière-pays grec ou du sol colonial italique, donc à la périphérie: il s'agit fréquem-

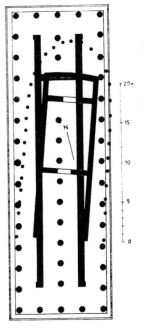

FIG. 12 – *Thermos, temple d'Apollon (H. Berve-G. Gruben, Griechische Tempel und Heiligtümer 113 ill. 3)*

73

Tête d'une statue d'éphèbe de la nécropole du Dipylon à Athènes, marbre. 620–610 av. J.-C. *Hauteur: 44 cm. Athènes, Musée National.* *Cf. page 72*

ment de petits vases sans véritable mise en forme artistique. La plupart des signatures conservées datent des décennies avant et après 500 av. J.-C., et sont dues à des sculpteurs, des potiers et des céramographes. Des signatures de maîtres d'œuvre et d'architectes – dont un exemple nous est fourni par l'art égyptien, sous une forme légèrement hermétique il est vrai – ne nous sont pas transmises par l'épigraphie de l'art grec. Du sommet que nous avons atteint dans cette présentation de l'histoire de la plastique grecque, et après avoir déjà jeté un coup d'œil sur l'art céramique contemporain, nous allons à présent nous interroger sur le développement qui s'est opéré entre-temps dans l'architecture. Les phases historiquement significatives de l'architecture peuvent s'observer le mieux, à ce moment de l'évolution, sur des exemples de l'ordre dorique. Il s'y ajoute que dans le temple dorique, précisément, la plastique et l'architecture se trouvent étroitement associées. Car les lois de la composition du relief, telles qu'elles vont s'affirmer sur les métopes et dans les frontons, déterminent pour leur part, en les fécondant aussi, les principes de la structure architectonique. Finalement, ce n'est pas non plus un simple hasard si l'art corinthien, dont la nature délicate et miniaturiste a été caractérisée plus haut, ne parvient qu'en architecture à des formes monumentales, grandes aussi dans les mesures extérieures. Ainsi naquirent vers 620 av. J.-C., en chiffre rond, les métopes peintes de Thermos, et vers 590 av. J.-C. les frontons sculptés de Corcyre.

Le temple d'Apollon à Thermos possède une longue histoire, et ses vestiges nous conservent les plans de plusieurs de ses phases constructives. Au cours de la phase la plus ancienne une demeure seigneuriale du type du mégaron fut apparemment transformée en temple; dans une seconde phase fut ajoutée une suite de supports extérieurs, une «couronne de colonnes», comme pour le temple d'Héra de Samos. Cependant, la modification décisive a lieu dans la seconde moitié du VIIe siècle, quand Thermos voit la construc-

FIG. 13 – *Colonne reconstituée du plus ancien temple d'Athéna Pronaia, calcaire. Seconde moitié du VIIe siècle av. J.-C. Delphes, Marmaria*

tion d'un temple à deux nefs rigoureusement symétrique, avec une péristasis dont 5 sur les 15 colonnes ne reçoivent plus de fondement individuel, mais reposent sur des fondations continues avec assise de réglage et de soubassement, le stylobate. Les proportions étirées et finement déliées de ce plan autorisent une comparaison directe avec la figure mince et svelte du Couros du Dipylon. Il ne subsiste pratiquement rien de l'élévation et de la toiture. Mais des seules formes du plan, du diamètre inférieur des colonnes et de l'entre-colonnement on peut déjà déduire que la colonne devait être extra-ordinairement mince dans ses proportions. Le bois est à admettre comme matériau déterminant pour la construction et le style de cet édifice, bien que certaines de ses parties aient pu être en pierre, ainsi les chapiteaux, supposés en forte projecture au-dessus du faible diamètre supérieur des colonnes. L'Etolie, la contrée où se situe Thermos, est très isolée. Dans d'autres régions de la Grèce, la construction de bois avait déjà dû céder la place, à cette date, à

FIG. 13

l'architecture lithique. Mais les anciennes colonnes de temples doriques que nous connaissons à Delphes et en Argolide attestent, par leur sveltesse gracile, que leur forme avait été primitivement conçue pour le bois. On peut inférer une mise en forme identique pour l'état constructif du temple de Thermos, qui, d'après le style des métopes intéressées, fut exécuté vers 620 av. J.-C. Les métopes d'argile sont cuites et peintes suivant la même technique que les vases corinthiens. Les représentations figurées et les ornements de ces terres cuites ne laissent d'autre part subsister aucun doute quant à leur appartenance à la sphère artistique corinthienne.

Frappant est le calme monumental des tableaux mythologiques. Aucune violence d'expression ne peut se relever dans le rendu de

PL. PAGE 78

ces images. La narration d'une légende pourtant emplie de cruauté et de fureur se limite à la juxtaposition, assurément lourde de sens et empreinte de fatalité, des trois protagonistes. A l'origine, ces personnages se trouvaient toutefois identifiés par des inscriptions; aujourd'hui la plupart des lettres sont détruites, et un seul nom subsiste: *Chelidfon*. Cette version d'une légende à diverses variantes s'insérait peut-être dans le cycle des traditions mythologiques de la Phocide, région dans laquelle est également située Delphes. Avec

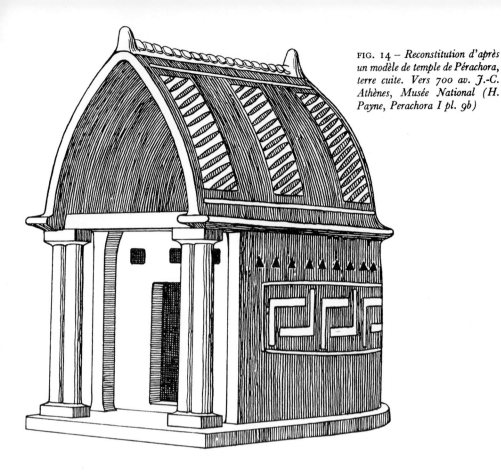

FIG. 14 – *Reconstitution d'après un modèle de temple de Pérachora, terre cuite. Vers 700 av. J.-C. Athènes, Musée National (H. Payne, Perachora I pl. 9b)*

l'aide de sa sœur Chélidon, Aédon, l'épouse de Térée, a tué son fils Itys. Par cet acte, les deux femmes veulent se venger de Térée. Car celui-ci avait fait violence à Chélidon, et afin qu'elle ne pût pas l'accuser, il lui avait arraché la langue. Mais Aédon devait néanmoins apprendre le crime ainsi que le nom du criminel. Les deux sœurs découpent le cadavre d'Itys en morceaux et en font un plat qu'elles présentent à Térée. Quand il découvre la vérité, Térée se tue de sa propre main. Quant aux femmes, les dieux en ont pitié et les transforment en oiseaux: Aédon devient rossignol et Chélidon hirondelle. Telle est la légende, qui était très diversement rapportée dans les différentes régions de la Grèce, et qui, plus tard, allait aussi être traitée par les poètes tragiques. Par rapport à l'action riche en

Métope de terre cuite du temple d'Apollon à Thermos. Vers 620 av. J.-C., compl. *Hauteur : env. 95 cm. Athènes, Musée National. Cf. page 76*

péripéties effroyables, la représentation sur la métope témoigne d'une réserve grandiose. Entre les deux femmes, sur leurs genoux, est étendu le cadavre d'Itys. L'original de la plaque de terre cuite permet tout juste de reconnaître, dans le giron de Chélidon, le visage de l'enfant tourné vers le haut. Cependant, la tête bien conservée de Chélidon révèle même dans la reproduction le langage formel simple et généreux, l'esthétique grandiose et monumentale. Le temple de Thermos avait un toit plat à double pente. On ne peut pas démontrer avec certitude qu'il s'ornait de frontons sur ses deux petits côtés. L'hypothèse selon laquelle cette forme de toiture

s.i. 13

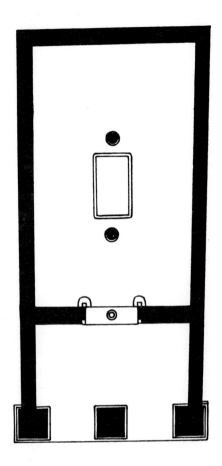

canonique du temple dorique aurait été définitivement élaborée dès les dernières décennies du VII$^e$ siècle paraît cependant plausible. On se souviendra ici de l'incertitude qu'il fallut encore admettre au sujet de la toiture de l'Héraion de Samos. Au stade de l'évolution que nous avons à présent atteint, nous pouvons, en ce qui concerne le temple de Thermos, exclure aussi bien le toit en terrasse avec une élévation de terre que le toit en bâtière qui se trouve attesté par de petits ex-voto en terre cuite de l'époque géométrique tardive, et qu'il est peut-être possible de reconstituer jusqu'au VII$^e$ siècle sur quelques plans de temples très particuliers de la Crète (Dréros et temple A de Prinias). Or, il est déjà apparu ailleurs que la Crète du VII$^e$ siècle, bien loin de jouer un rôle directeur dans l'essor des

FIG. 14

79

tendances novatrices, s'affirme plutôt comme la gardienne du répertoire de formes traditionnel. Si, dans le domaine de l'architecture et précisément au temple A de Prinias, on peut y observer des tentatives audacieuses en vue d'intégrer dans la liaison architectonique, d'une manière absolument originale, des frises sculptées et même des statues assises disposées en ordre symétrique, il n'en reste pas moins vrai que la Crète n'a contribué en rien au développement de la forme de temple canonique des ordres ionique et dorique.

*Rapport entre art et politique*

En ce qui concerne l'image politique de l'ensemble de la Grèce, cette époque est caractérisée par l'émancipation de la noblesse des autres couches de la population et par la concentration du pouvoir entre les mains d'une minorité, qui aboutissait souvent à la tyrannie. L'activité artistique, elle aussi, peut uniquement se comprendre en fonction de ces données. Les gigantesques effigies, dont la mise en forme frôle parfois de très près, déjà, le domaine de l'*hubris*, en constituent un certain reflet. En ce temps, toutefois, alors que les tyrans régnaient dans de nombreuses îles et dans le Péloponnèse, Athènes n'avait pas encore assisté au succès d'un tyran. Mais la tentative n'avait pas manqué: l'histoire constitutionnelle rapporte qu'après 640 av. J.-C., sous l'archontat de l'Alcméonide Mégaclès, le noble attique Cylon essaya de s'emparer de la tyrannie avec la complicité des Mégariens, mais que son coup d'Etat se solda par un échec. Il sera permis d'admettre que dans le fond la situation économique, politique et militaire était néanmoins assez semblable dans toutes les cités grecques, cela indépendamment du fait que dans un cas un usurpateur avait réussi à ériger une tyrannie, alors que dans l'autre une influente famille aristocratique on un groupe détenait les rênes du pouvoir. Pour les vastes entreprises architecturales, une règle universelle veut qu'elles peuvent être uniquement menées à terme par la concentration d'argent et d'énergie en un seul point. Dans l'histoire architecturale grecque, cette règle est surtout vérifiée par les grandes réalisations monumentales des tyrans ioniens, par exemple de Polycrate, ou par le programme de construction de Périclès. Certes, le VIIe siècle n'a pas encore connu des entreprises aussi vastes et coûteuses, mais il offre néanmoins, à une échelle évidemment réduite, des exemples comparables.

# III. ACHÈVEMENT: PÉRIODE DE MATURITÉ
## (env. 620–550 av. J.-C.)

Si l'on voulait désigner par un seul mot ce qui, après l'ébranlement révolutionnaire du VIIe siècle et après les grandes acquisitions dues notamment à la seconde moitié de cet espace de temps, manquait encore à l'art archaïque des Grecs pour atteindre la perfection, on parlerait peut-être de «substance». Substance dans un sens large, mais convenant aussi à la situation historique donnée. Il n'est pas uniquement question, dans la plastique, dans la colonne, dans l'œuvre d'architecture dans son ensemble, de la masse, du «volume», déjà évoqué çà et là antérieurement. Et on ne veut pas non plus dire qu'au VIIe siècle les conceptions artistiques et leur réalisation dans l'ordre formel se seraient enlisées, n'auraient plus possédé ni contenu ni sérieux. Le contraire est le cas. En fait, ce qu'on se propose de suggérer par ce terme, c'est que dans les années autour de 600 av. J.-C. seulement, les peintures, les statues et les temples acquièrent une certaine pesanteur, qui est certes en rapport avec la matière et la masse, mais qui, surtout, enracine l'œuvre d'art très fermement dans le monde des corps tangibles et lui confère, par la correspondance totale d'intention et de réalisation, une expression de paix heureuse. Il faut donc attendre le VIe siècle pour que s'instaure une harmonie parfaite entre le contenu et la forme. Les tensions, qui, au vrai, avaient été l'essentiel pour le rythme et la composition des créations du VIIe siècle, sont maintenant complètement équilibrées. Peut-être l'accomplissement artistique particulier possède-t-il de ce fait moins de charme. Le bouleversement, qui peut être provoqué par la nouvelle expérience d'une intuition du VIIe siècle, ne se produira sans doute guère devant une statue du VIe siècle. Cependant, si on ne devait appliquer à ce phénomène que la seule formule générale d'un embourgeoisement de l'époque, une telle affirmation contiendrait certes une petite part de vérité, mais nullement la vérité dans son ensemble.

Assez curieusement, ce fondement en soi de l'œuvre d'art s'observe

*Figurations animalières*

81

déjà dans quelques manifestations qui appartiennent au milieu du VIIᵉ siècle et qui sont de plus d'une petitesse presque miniaturiste.

PL. PAGE 83 Que le canard plastique en terre cuite, petit vase d'une longueur de 8,4 cm en possession du Musée de Pergame à Berlin, appartienne à la sphère artistique corinthienne peut à présent déjà se supposer en raison de ce qui a été dit, et se trouve confirmé par l'ornementique et par la qualité de l'argile. De fait, ceux qui ont voulu localiser la genèse de la grande plastique grecque dans le nord-est du Péloponnèse se sont référés à la précision expressive de l'idiome formel corinthien, à la substance plastique et intellectuelle de l'art corinthien. En contraste avec cette hypothèse, nous avons cependant déjà montré plus haut que l'art corinthien n'acquiert d'abord une correspondance de grandeur extérieure à grandeur intérieure – et ainsi la monumentalité – que dans le cadre de l'architecture, et seulement au moment où les formes de l'ordre dorique ont abouti dans leur développement au style monumental, c'est-à-dire ont passé de la construction de charpente à l'architecture de pierre.

PL. PAGE 78 Deux exemples ont déjà été cités dans ce contexte: les métopes en terre cuite de Thermos et les frontons de pierre de Corcyre. Il reste encore à examiner ces frontons de plus près. Mais il convient d'abord d'illustrer par un autre témoignage le développement qui s'est opéré à Corinthe, de la phase de petite plastique du vase en forme de canard à la phase de grande plastique du fronton de Corcyre. Là encore, on ne tiendra pas pour un hasard le fait que ce que nous avons appelé «substance», la pénétration complète de la masse plastique par la créativité formatrice, se révèle en premier lieu dans des représentations animalières très simples, mais magistralement observées. Ainsi les potiers protocorinthiens ont façonné le hibou, le canard, la chouette, le pigeon, le hérisson et la perdrix, pour ne mentionner que quelques-uns parmi les animaux ayant servi de thème pour des vases plastiques. Ce sont tous des animaux domestiques, ou pour le moins des animaux qui vivent dans la proximité de l'homme et lui sont très familiers. Comme beaucoup plus difficile, certainement aussi en raison d'entraves psychologiques et religieuses, était considérée la restitution de l'homme lui-même et des êtres hybrides démoniaques. Pour rendre un homme, un Sphinx,

Vase plastique protocorinthien en forme de canard. Vers 650 av. J.-C. *Longueur : 8,4 cm. Berlin, Pergamonmuseum. Cf. ci-contre*

une Sirène ou un Centaure, il fallait par conséquent à l'artiste de l'époque orientalisante un certain excédent de force créatrice, de spiritualisation, dont les traces sont encore demeurées visibles dans l'état final même de l'œuvre d'art. Ainsi s'explique aussi la mystérieuse puissance démoniaque des grandes sculptures en ronde bosse du VIIᵉ siècle. De là se comprend également très bien que la tête PL. PAGE 74 du Dipylon, avant la découverte d'autres parties de la statue de Couros, ait été prise pour le chef d'une telle créature démoniaque, à savoir pour la tête d'un Sphinx. Sous ce rapport s'opère à présent un changement avec les années autour de 600 av. J.-C. C'est le

83

passage de la forme du Couros du Dipylon, marquee par la spiritualisation, à la substance solidement matérielle des statues delphiques dues à un sculpteur argien et représentant deux frères, Biton et Cléobis. Grâce à cette transformation, la morphologie si parfaite

PL. PAGE 83

et fondée en elle-même du petit vase en forme de canard, qui n'est pas plus long qu'un doigt, peut maintenant s'élever à la grandeur,

PL. PAGE 86

monumentale pour une figuration animalière, d'un lion de pierre calcaire de Corcyre. Lourde et massive, avec la dalle longue de 122 cm formant base, la bête fauve était placée de telle manière sur un tombeau, ou plus exactement insérée dans le remblai d'un grand tertre funéraire, que la carne de la dalle se trouvait dissimulée. Le lion y était couché comme un puissant gardien de sépulcre. Le tracé de ses contours et la stylisation du corps, des cuisses, des pattes et de certains détails de la tête révèlent, par la comparaison avec des tableaux de vases, que le lion est également corinthien. De fait, il possède précisément ces qualités qui nous ont frappés dans les œuvres d'art corinthiennes plus anciennes, mais à présent portées jusqu'aux grandes dimensions extérieures aussi. Dans cette amplification, un certain rôle aura pu être joué par le fait que le lion, aussi, se trouvait lié d'une manière déterminée à une réalisation architectonique, à savoir le tombeau érigé de main humaine qu'il couronnait. On peut en tout cas affirmer que ce n'est qu'à partir du degré d'évolution atteint par la plastique corinthienne avec cette figure que se découvre la signification revêtue par une œuvre un peu plus récente, mais qui est pour nous le plus ancien relief de fronton monumental connu.

S.I. 18

Il s'agit du relief qui se trouvait à l'arrière du temple d'Artémis à Corcyre, donc du fronton ouest de ce temple. Nous ne possédons que des vestiges relativement faibles du fronton du côté de l'entrée; ils révèlent cependant que le sujet traité dans le fronton antérieur était identique ou pour le moins très analogue à celui du décor tympanal arrière. Le fronton ouest est en revanche exceptionnellement bien conservé, du moins assez complètement pour que la composition soit reconnaissable dans toutes ses parties. Large d'environ 25 m, le fronton se compose de cinq sections d'égale

*Images mythiques*

largeur mais de thématique très différente. Les parties les plus anciennes d'après leur contenu et les plus riches en données traditionnelles occupent le centre, où la plus grande ouverture des rampants leur assure aussi une importance accrue; les scènes plus récentes et plus modernes sont reléguées dans les angles des deux extrémités, c'est-à-dire y font une première et très timide apparition. La représentation axiale est une grande image mythique. Nous y voyons Méduse, l'une des trois Gorgones, démons féminins de l'épouvante, filles de Phorcys et Céto. Elle s'entoure de part et d'autre de ses enfants, le cheval ailé Pégase et l'«Homme à l'Epée d'Or», Chrysaor. Selon la légende transmise par la tradition littéraire, la naissance de ces jumeaux n'a lieu qu'au moment de la mort de leur mère: lorsque Persée décapite Méduse avec son glaive-faucille, sa *harpè*, les deux jumeaux, engendrés par Poseidon, voient le jour en jaillissant du cou tranché en même temps que le flot de sang. Dans la représentation du relief, la tête de la Gorgone demeure cependant fermement sur ses épaules. Persée n'apparaît pas dans ce fronton. D'ailleurs, l'artiste ne se propose pas une narration par l'image, en quelque sorte, d'une version de la légende de Méduse, mais veut montrer l'horrible visage d'épouvante en même temps que l'ensemble de l'effroyable figure hideuse de l'être démoniaque, hérissé de serpents, ailé et doté de la ceinture faite d'un couple de serpents noués autour de la taille. Les enfants appartiennent à cet aspect total qu'ils caractérisent; ils sont rendus à une échelle beaucoup plus petite, comme attribut de la monstrueuse figure centrale. Des forces démoniaques analogues sont représentées par les deux fauves qui apparaissent couchés à droite et à gauche du groupe central. Sur les tableaux de vases de la période orientalisante on distinguait principalement deux types différents de fauves: l'un avec la tête vue de profil, parfois caractérisé en outre comme lion par des détails zoologiques, l'autre avec la tête en projecture vue de face, qui sera plutôt désigné comme panthère. Les bêtes du fronton appartiennent à ce dernier type. Mais à la tête vue de face revient peut-être ici la tâche complémentaire de renforcer le caractère répulsif, de magie apotropaïque de la Gorgone. Pourquoi, toutefois, ces signes apotropaïques au fronton du temple? Ils y perpétuent une très vieille tradition. Le *gorgoneion*, le pouvoir terri-

Lion de pierre calcaire d'un tombeau de Corcyre. Vers 600 av. J.-C. *Longueur de la base: 1,22 m. Corfou, Musée. Cf. page 84*

fiant et prophylactique du masque de Gorgone, le regard pétrifiant de Méduse n'apparaissait pas seulement sur des boucliers, sur l'égide d'Athéna et sur des murailles de fortification, mais protégeait aussi, manifestement, la tête de la poutre faîtière des anciens temples. Du fait que la figure tympanale de la Gorgone, au point de rencontre en angle obtus des deux corniches rampantes *(geisa)*, déborde sur le cadre du fronton formé par le *geison*, la tête de Méduse se place ici également sur l'about de la poutre faîtière. Cette particularité n'est nullement due à une nécessité technique. Il s'agit plus précisément de la perpétuation consciente de représentations empruntées à la foi ancestrale, intégrées dans une composition grandiose. Cette composition est enfin spécialement significative pour la raison que la Gorgone, de même que d'autres êtres tenant du dieu ou du *daimon*, était conçue par les Grecs des temps primitifs comme Maîtresse des Animaux *(Potnia therôn)*.

D'un autre esprit témoignent les représentations qui figurent dans les extrémités basses du fronton, et qui proviennent thématiquement aussi d'un autre univers. Ici sont racontées des légendes. La narration, qui a recours a beaucoup plus de violence d'expression

Tête d'un Sphinx de terre cuite de Calydon. 580–570 av. J.-C. *Athènes, Musée National. Cf. page 89*

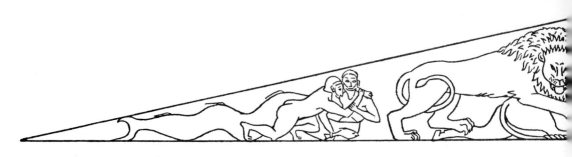

FIG. 16 – *Fronton de pôros de l'Acropole, Athènes. Vers 570 av. J.-C.*

PL. PAGE 78 que l'épisode d'Itys sur la métope de Thermos, révèle aussi que l'artiste poursuivait d'autres intentions que celui du groupe central. En fait, dans l'axe du fronton nous avons une image mythique chargée de symboles et obéissant à une composition héraldique, dans les bas-côtés le goût de l'événement, le goût de relater l'événe- *Tableaux narratifs* ment d'une façon vivante et claire, bref le plaisir de la narration dans sa signification première. Dans le cours ultérieur du VIᵉ siècle cette joie narrative marquera la plupart des représentations mytho- logiques. Mais sur les reliefs tympanaux devait encore se maintenir longtemps la distinction entre une figure axiale conçue dans un sens mythico-religieux et une action légendaire déroulant ses péripéties autour de ce centre. Typologiquement, l'épiphanie d'Apollon dans le fronton ouest du temple de Zeus à Olympie se trouve ainsi nette- ment dans cette tradition.

*Monumentalisation des formes d'art corinthiennes* Venant après les métopes de Thermos, ce fronton est le second document prouvant que l'art corinthien, au bout d'un long itiné- raire, a su conquérir la forme monumentale, avec et dans l'architec- ture. Nous pouvons poursuivre ce chemin plus loin encore, au-delà du temple d'Artémis de Corcyre. Mais à présent il n'est plus uniquement caractéristique de l'art corinthien, car ce que les artistes corinthiens ont fait pour la figuration animalière, pour la composition tympanale, pour la «substance», pour la valeur d'éter- nité de la plastique s'étend au cours du VIᵉ siècle à l'ensemble de la Grèce. Les acquisitions corinthiennes, à l'inverse, subissent aussi les sollicitations d'autres sources, principalement de la tradition

(*W. H. Schuchhardt, Archaische Giebelkompositionen ill. 3*)

sculpturale attique. Un exemple remarquable en est le Sphinx de PL. PAGE 87
Calydon. A l'instar de Thermos, Calydon est une ville étolienne,
et elle se situe au même degré dans la sphère d'influence artistique
de Corinthe. Le Sphinx, de terre cuite, servait d'acrotère d'angle
sur un toit à double rampant. Dans les formes du corps, mais surtout dans le modelé du visage, il accuse la sévère structure corinthienne. Des détails seulement – ainsi la facture des yeux plus
grands que nature, de coupe plate – trahissent que l'artiste connaissait des têtes attiques du VIIᵉ siècle, et qu'il s'est inspiré de leur
impressionnante spiritualisation pour l'exécution de son œuvre.
Cela est d'autant plus remarquable qu'Athènes elle-même reste
moins fidèle, dans le nouveau siècle, à sa propre mentalité. La
raison se trouve dans des facteurs politiques et économiques, qui
sont en rapport avec la réforme de Solon et qui ont donc d'abord    SOLON
modifié le visage de la cité dans laquelle le législateur Solon s'est
manifesté, *devait* se manifester du fait des anomalies et abus qui
avaient vu le jour dans cet Etat agraire.
Solon n'était pas le premier réformateur à Athènes. Une génération
plus tôt, Dracon avait fixé par écrit le droit coutumier, mettant
ainsi le citoyen à l'abri de l'arbitraire. Nous savons que ces écrits
concernaient les lois criminelles, traitant ainsi du meurtre et de
l'homicide; mais d'autres principes de droit furent encore codifiés
par ce législateur. Cependant, au cas même où cette œuvre novatrice aurait eu des implications constitutionnelles, l'importance de
Dracon réside en premier lieu dans sa réforme législative et judi-

ciaire. Les conditions sociales qu'il rencontra en Attique exigeaient toutefois des réformes plus profondes. Ces conditions étaient devenues intolérables, notamment pour le petit cultivateur: pressé d'argent, le paysan contractait des emprunts, lesquels lui valaient tôt ou tard la servitude pour dettes; à la fin il se voyait privé du droit de propriété sur ses biens-fonds, c'est-à-dire se trouvait réduit en esclavage. De tels abus pouvaient certes être atténués par des prescriptions légales, mais non pas attaqués à leur racine. Pour ce remède radical il fallut attendre l'œuvre constitutionnelle et légis-lative de Solon, aristocrate attique, lequel, en 594 av. J.-C., fut nommé arbitre par les adversaires plus ou moins politiquement organisés qui se trouvaient en lutte ouverte, et doté de pleins pouvoirs extrêmement vastes. Il est possible que l'ordre social ait été particulièrement critiquable en Attique. Cent ans auparavant déjà, par exemple, par une disposition édictant l'obligation annuelle d'une assemblée législative plénière de tous les Lacédémoniens, Sparte s'était démocratisée à un degré surprenant pour un Etat aristocratique. En vue du rôle dirigeant qui continua à revenir à l'Attique sous le rapport culturel et politique, il est néanmoins significatif que le remède à la situation alarmante fut trouvé par l'homme qu'il fallait. L'une des raisons du succès durable des réformes soloniennes fut la refonte concomitante du système monétaire et pondéral. Elle concerne d'ailleurs directement l'his-toire de l'art, puisque Solon fit alors frapper les premiers tétra-drachmes à l'effigie de la chouette. Au vrai, sans la réforme de la monnaie et des poids l'essor économique continu d'Athènes eût été inconcevable. La bonne qualité des produits attiques n'était qu'*une* condition des relations commerciales mondiales qui allaient à présent se nouer. L'autre était la valeur ainsi que la facile con-vertibilité et calculabilité de la monnaie attique, qui s'aligna alors seulement sur l'étalon euboïque, lequel se trouvait déjà introduit dans l'ensemble du monde grec.

La suppression de la servitude pour dettes et ainsi la protection de la petite paysannerie dans l'Etat agraire attique n'était également qu'une autre condition préalable de la réforme législative et con-stitutionnelle. Celle-ci devait culminer dans la division des citoyens en quatre classes censitaires, c'est-à-dire des classes dont les droits politiques et les obligations militaires étaient fixés proportionnellement à leur revenu annuel. Le privilège de la naissance se trouvait ainsi remplacé par le privilège de la fortune. Aussi fondamental que puisse paraître ce changement, autant de tradition comprend en fait l'ordre nouveau. Car la propriété foncière demeurait toujours le bien le plus sûr et durable. Si, donc, la constitution de Solon ne signifiait pas que l'inférieur venait prendre la place du supérieur, elle représentait néanmoins une extraordinaire consolidation de l'appareil de l'Etat, des institutions publiques. Lorsque, par conséquent, au IVe siècle av. J.-C., Solon faisait figure aux yeux des Grecs eux-mêmes de fondateur ou précurseur de la démocratie, cette vision des choses n'était pas entièrement fausse. Cependant, les lois de Solon n'avaient pas brisé la tendance à la tyrannie. En 582 av. J.-C. un coup d'Etat allait pour la première fois introduire ce régime politique à Athènes, pour plus de deux ans, mais il ne put pas se maintenir au-delà de cette durée. Sous ce rapport, Pisistrate, en 561 av. J.-C., eut plus de succès. En ce qui nous concerne, il convient toutefois d'aborder en premier lieu le temps de Solon lui-même et les décennies qui suivirent sa réforme. Si, dans l'examen du développement enregistré au cours de cette époque, Athènes occupe le centre de l'intérêt, cela a ses bonnes raisons. Du point de vue des produits céramiques, par exemple, on peut constater que presque tous les centres de fabrication voient leur capacité baisser, pour finalement arrêter leur production dans le cours du VIe siècle, à la seule et unique exception des centres attiques. Le VIe siècle ne connaît en outre, pour la réputation de leurs vases, que la Laconie, avec plusieurs grands ateliers, et Chalcis. En dépit de certaines réalisations isolées très remarquables, l'importance des ateliers de Grèce orientale, aussi, va dans l'ensemble en diminuant très fortement. Depuis l'avant-dernière décennie, enfin, du VIe siècle, Athènes est seule à dominer le marché. La demande en provenance du principal territoire d'exportation, les villes d'Etrurie et du centre de l'Italie, semble également se concentrer sur les produits d'Athènes. Cela n'est qu'un symptôme. L'instauration de la fête des Grandes Panathénées, avec ses concours musicaux et gymniques, sera un autre facteur contribuant à la prééminence d'Athènes dans le domaine culturel.

*L'art attique au début de VIᵉ siècle*

L'art céramique, la peinture de vases, la plastique et l'architecture demeurent dans la sphère monumentale et conservent la substance, qui avait été acquise pour l'art grec par les Corinthiens. Cependant, en comparaison des formes sveltes, conceptuellement et géométriquement ordonnées du VIIᵉ siècle, l'art attique, précisément, se fait plus bourgeois à partir et en raison de la réforme de Solon. La couche représentative de la population est manifestement devenue beaucoup plus large. On notera, dans ce contexte, que l'affichage public des lois édicté par Solon (sur les *kurbeis)* présuppose que la plus grande partie des habitants d'Athènes savaient lire. La compréhension des interprétations de poésie épique et lyrique au cours des fêtes panathénaïques aura également été répandue chez tous les citoyens. Sur l'Acropole d'Athènes naquirent alors des temples nouveaux, et le temple principal de la déesse poliade fut agrandi.

FIG. 16
Un fronton de ce temple peut se reconstituer à partir de fragments conservés. La comparaison avec le fronton de Corcyre n'accuse pas seulement une atténuation dans toutes les formes d'expression, mais surtout la plus grande importance prise par l'élément légendaire dans l'ensemble de la composition. Le décor tympanal se divise en trois sections de largeur approximativement égale. L'élément démoniaque a disparu du groupe central. Dans un groupe de combat d'animaux les figures de l'ancienne frise animale ont à présent été réunies en un tableau d'action. Dans ce motif central, déjà, le fronton plus récent possède un caractère plus fortement narratif. Cette tendance s'affirme totalement dans les deux sections tympanales des extrémités. A gauche est représentée une lutte opposant Héraklès à Triton, à droite probablement la rencontre de Zeus – personnage qui était peut-être figuré suivant le schéma de la «course agenouillée» et dont se trouve uniquement conservée, tout à fait à

PL. PAGE 94
gauche, une petite partie du manteau – et de Typhon, démon anguipède du vent et du feu. Dans notre contexte, c'est surtout la composition de cette dernière figure qui doit retenir l'attention. L'artiste lui a attribué trois bustes humains, qui se terminent à l'arrière par de vigoureux serpents emmêlés. Chacun des trois corps

est pourvu d'un attribut particulier, respectivement tenu par la main gauche. Le brandon, l'onde et l'oiseau symbolisent les trois règnes où Typhon exerce sa puissance. En y ajoutant la nature chthonienne des reptiles, on sera tenté de reconnaître ici une représentation imagée de la théorie des quatre éléments. Dans la science naturelle de l'époque on ne relève toutefois aucune trace d'un système quaternaire des éléments. La conquête de la spatialité et l'expressivité psychique, qui se manifeste dans les trois corps et leurs têtes, sont d'une plus grande importance. A l'opposé de la rigoureuse direction orthogonale des axes de mouvement dans l'art archaïque plus ancien, la tête de l'extrémité droite est ici rendue pour la première fois de trois quarts. Quelques observateurs ont déjà voulu constater dans les deux têtes de fauves du fronton de Corcyre l'expression de tempéraments différents. Avec le fronton de l'Acropole d'Athènes, la différenciation prononcée de l'expression physionomique est évidente dans les trois têtes du Typhon. Il s'y ajoute la caractérisation différente par les valeurs chromatiques de la mise en couleurs. Les vestiges de peinture sur la pierre calcaire amorphe et relativement tendre, le *pôros*, permettent de se faire une notion de la polychromie de la sculpture grecque de cette période. Le sculpteur s'est spécialement efforcé, par une facture plastique de l'iris et de la pupille, de donner une forme expressive aux yeux. Des réalisations telles que celle qui vient d'être décrite peuvent laisser supposer que l'art archaïque soit capable, à ce degré d'évolution, de créer une liaison spatiale de figure à figure, ainsi qu'un rapport rythmique déterminé entre figure et espace. Nous avons certes pu relever des amorces dans ce sens au sein du champ tympanal délimité par le cadre des *geisa*. Dans la ronde-bosse une telle forme de composition, rapportée à deux ou plusieurs figures, aurait pour résultat *ceci*: le «groupe statuaire». Cependant, étant donné que les principes de composition de l'art archaïque veulent dans tous les cas que les diverses parties soient simplement juxtaposées en conservant leur valeur propre – un principe de composition qu'il est convenu d'appeler additif ou paractactique –, il n'existe absolument pas de tendance à la véritable constitution de groupes. Elle se trouve remplacée par l'alignement. Pour découvrir le plus bel exemple qui en soit conservé, il nous faudra quitter Athènes pour Samos, l'autre centre de la phase de maturité de la sculpture archaïque.

*Plastique samienne* A Samos, dans le sanctuaire d'Héra, un dédicant a fait dresser vers 560 av. J.-C. une large base, sur laquelle se trouvaient juxtaposées FIG. 17 six statues de marbre. Quatre figures debout, dont celle qui occupait l'extrémité gauche était probablement un éphèbe vêtu de l'himation,

Personnage anguipède à trois bustes d'un fronton de pôros de l'Acropole. Vers 570 av. J.-C. *Longueur : 3,25 m. Athènes, Musée de l'Acropole. Cf. pages 92 et suiv.*

Ornithé, statue de marbre du groupe votif du sculpteur Généléôs dans l'Héraion de Samos. Vers 560 av. J.-C. *Hauteur : 1,68 m. Berlin, Pergamonmuseum. Cf. pages 95, 98 et 136*

94

FIG. 17 – *Groupe statuaire de Généléôs, vers 560 av. J.-C. Reconstitution. Samos, Héraion (E. Buschor, Altsamische Standbilder II p. 27)*

étaient flanquées à droite par une figure couchée et à gauche par une figure assise. Tous ces personnages sont identifiés par des inscriptions. L'artiste a également laissé sa signature: Généléôs. Quatre de ces statues sont entièrement conservées sauf les têtes, lesquelles ont probablement été brisées volontairement à une époque postérieure à l'Antiquité. D'une autre, la troisième figure de jeune fille debout, nous possédons des fragments. La statue de l'éphèbe n'a pas encore été livrée par les fouilles. Même si, aux yeux de l'observateur actuel, les statues paraissent simplement alignées côte à côte sans autre rapport d'interdépendance, l'ensemble n'en demeure pas moins un monument extrêmement impressionnant. Presque insurpassable, toutefois, se révèle l'exécution dans chaque cas particulier. La statue d'Ornithé nous en fournira la preuve. La minutie exceptionnelle du traitement des surfaces réside dans le léger modelé plastique et dans le plissé délicat et paisible. La beauté de la figure, la finesse somptueuse du vêtement sont rendues par l'artiste par l'ample agencement capillaire retombant très bas dans le dos et par les quatre écheveaux de cheveux sobrement articulés qui se trouvent ramenés de chaque côté sur le devant du buste, entre les épaules et les seins, ainsi que par le contraste entre les plis

GÉNÉLÉÔS

PL. PAGE 95

minces, gravés un peu plus en profondeur, du torse, et les plis du bas du corps, plus larges et un peu plus aplatis. L'animation du vêtement est due au geste calme de la main gauche, qui tire légèrement sur l'étoffe en la relevant.

Outre Généléôs, Samos devait alors connaître un sculpteur peutêtre plus remarquable encore, qui a notamment laissé la prestigieuse statue féminine du Louvre, dont une inscription révèle qu'elle fut dédiée à Héra par un certain Chéramyès. Malgré la différence existant entre les deux écritures artistiques, la figure unique ainsi que l'ensemble statuaire de Généléôs accusent la structure de base caractéristique de la plastique est-ionienne, plus particulièrement samienne. Non seulement la structure attique, mais aussi la cycladique se distingue aisément de la samienne. Quand, au cours des années quatre-vingts du siècle dernier, les fouilles sur l'Acropole d'Athènes mirent pour la première fois au jour une quantité insoupçonnée de monuments de l'art archaïque, les statues de jeunes filles (Corès, *korai*) passèrent pour la trouvaille la plus singulière. Nous en Corès ioniques et<br>attiques possédons au total trois douzaines; les plus petites atteignent la moitié de la taille naturelle, la plus grande est d'une hauteur supérieure à 2,50 m. Après l'étonnement initial causé par le schématisme rigide supposé, on découvrit de plus en plus que, sous les formes de style symétriques, la vie florissante de l'ère archaïque n'était pas étouffée, mais conservée. C'est d'ailleurs ce que ressentit le poète Hugo von Hofmannsthal: «*Standbilder waren da, weibliche, in langen Gewändern. Sie standen um mich im Halbkreis. In ihrer vollkommenen Ruhe, bis zum Rande gefüllt mit Leben, schienen sie an sich herabzublicken, vor sich hinzublicken, aber sie sahen mich nicht. Trotzdem, sie waren nicht blicklos: dies mochte an dem wunderbaren Leben liegen, mit dem das obere Lid beladen war, und das gegen die Nasenwurzel hinströmte und sich unter den Augen mit erhabenem Ernst verlor.*» («Il y avait là des statues, féminines, dans de longs vêtements. Elles m'entouraient en demi-cercle. Dans leur quiétude parfaite, emplies de vie jusqu'à leurs limites, elles semblaient faire descendre leur regard vers le bas de leur corps, semblaient regarder droit devant elles, mais ne me voyaient pas. Pourtant, elles n'étaient pas privées de regard: cela semblait tenir à cette vie merveilleuse dont était chargée la paupière

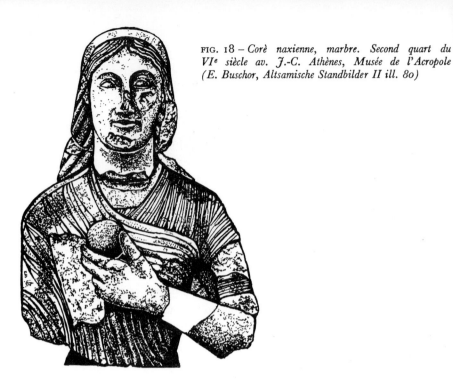

FIG. 18 – *Corè naxienne, marbre. Second quart du VIᵉ siècle av. J.-C. Athènes, Musée de l'Acropole (E. Buschor, Altsamische Standbilder II ill. 80)*

supérieure et qui rayonnait vers la racine du nez, pour se perdre sous les yeux avec une altière gravité.»)

La comparaison stylistique avec des statues analogues, connues d'autres sites archéologiques grecs, nous apprend que plus de la moitié des Corès de l'Acropole sont dues au ciseau d'artistes attiques. En ce qui concerne les pièces d'importation certaine, la provenance plus particulière peut être indiquée dans quelques cas avec beaucoup de vraisemblance. Cependant, ce qui se révèle surtout, c'est que le type de ces statues a son origine en Ionie orientale, d'où il a été diffusé vers l'Attique. Des statues comme celle d'Ornithé sont le modèle duquel des sculpteurs d'autres régions ont tiré l'enthousiasme et l'inspiration pour des créations similaires. Le seul costume renvoie à l'Ionie comme partie donnante. Les plus anciennes de ces figures y sont vêtues du chiton, sorte de tunique faite avec une étoffe mince et douce. Par la suite, des parties de ce vêtement sont repliées des deux côtés du corps par-dessus la ceinture. Celle-ci demeure visible devant et derrière, entre les deux pans ainsi formés,

PL. PAGE 95

qui retombent en bouffants finement plissés, comme cela est le cas avec la statue d'Ornithé. Dans d'autres cas, la ceinture se trouve complètement dissimulée par la partie blousante, tirée très fortement vers le bas. Un enrichissement de ce costume ajoute au chiton un manteau de forme courte, qui est le plus souvent fixé sur l'épaule droite. A Athènes, le chiton se voit adopté, en remplacement du vêtement sans manches plus lourd et épais autrefois usuel en Attique, au même titre que plus tard le mantelet «oblique». Il apparaît par conséquent que l'Ionie donnait le ton dans le domaine de la mode. Les plus anciennes Corès dédiées sur l'Acropole sont dues au ciseau de sculpteurs ioniens. La tentative de fixer leur pays d'origine devait aboutir à Samos ou dans l'une des Cyclades. On peut aujourd'hui affirmer que doit être naxienne la figure qui est con- FIG. 18 servée avec la tête et qui tient comme attribut un fruit. Le parti rythmique de la surface accuse une différence si grande par rapport aux plans faiblement animés de l'Ornithé que l'attribution à un sculpteur samien est exclue. En comparaison, la figure naxienne offre une construction plus angulaire, et les arêtes de la plicature sont plus dures, d'une nuance, que les lignes gravées des statues drapées samiennes. On a dit que les corps naxiens étaient secs, «comme rongés par le vent marin»; cela s'applique sans réserve à la statue acropolitaine. Naturellement, nous ne savons pas si elle a été importée dans son état achevé ou si un sculpteur naxien l'a créée à Athènes, en la tirant d'un bloc de bon marbre des Iles; les deux sont également possibles. La manière plus onctueuse des sculpteurs samiens, manière qui modèle plus fortement la surface plastique, est en revanche offerte par un singulier ex-voto provenant une fois de plus de l'Héraion de Samos. Il s'agit d'un sacrifiant, qui FIG. 19 conduit une vache vers l'autel de la déesse. Nous n'en possédons que des fragments. Grâce aux débris du piédestal et surtout à la main du personnage, avec laquelle il saisit la vache par une corne et la conduit, les positions réciproques de l'homme et de l'animal peuvent être reconstituées. On constate ici encore que l'intention n'était pas de créer un groupe dans le sens ultérieur du terme. La vache et son conducteur vont dans la même direction; les deux figures sont en quelque sorte prises dans une armature orthogonale.

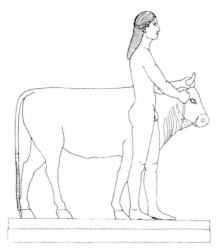

FIG. 19 – *Groupe de personnage sacrifiant avec vache, marbre. Vers 560–550 av. J.-C. Samos, Héraion (dessin de restitution par K.-F. Krösser)*

Malgré cette composition rien moins que naturaliste, l'association des figures semble emplie de vie, l'épiderme de la surface marmoréenne semble respirer même sur les fragments de ce monument si gravement endommagé.

Comparés avec des sculptures attiques, l'Ornithé, le sacrifiant à la vache et la Corè naxienne forment naturellement un groupe stylistique non pas absolument homogène en soi, mais nettement apparenté. Les artistes attiques étaient moins préoccupés par les problèmes de l'articulation des surfaces et du modelé de l'épiderme marmoréen que par – se rapprochant ainsi davantage des sculpteurs du Péloponnèse – la liaison constructive des diverses parties du corps ainsi que par leur rapport avec l'espace; ce souci ira en s'affirmant de plus en plus au fur et à mesure que la forme archaïque va se développer au cours du VIe siècle. Le «triforme» du fronton de PL. PAGE 94 l'ancien temple d'Athéna nous en fournissait un exemple. Il continuait les impulsions reçues de Corinthe. Le rapport qu'il entretient avec le fronton du temple d'Artémis à Corcyre se retrouve PL. PAGE 87 entre le Sphinx de Calydon et un Sphinx exhumé dans le cimetière FIG. 20 du Céramique à Athènes. Ici ce n'est pas une spatialité plus prononcée ni l'essai d'une composition avec vue de trois quarts, mais l'articulation générale plus marquée du visage et du corps animal, associée à une plus grande mobilité dans l'attitude pour ainsi dire momentanée de la figure dans son ensemble, qui fait la différence avec la réalisation antérieure. Dans la perspective de l'évolution stylistique, le Sphinx du Céramique est d'ailleurs nettement plus récent que les sculptures naxiennes et samiennes qui viennent d'être examinées. Il conduit vers une ronde-bosse qu'il sera permis de qualifier de chef-d'œuvre de l'époque primitive du tyran Pisistrate. Grâce à l'étonnante mémoire visuelle d'un jeune archéologue, mémoire qui lui permettait de garder le souvenir précis de certains détails formels, il a été possible, il y a une trentaine d'années, de relier les fragments d'un cheval et du torse de cavalier approprié du Musée de l'Acropole à Athènes avec une tête de marbre de provenance inconnue, qui se trouvait depuis longtemps déjà au Musée du Louvre; car la collection privée Rampin n'avait été qu'une étape du long itinéraire que le destin réservait à cette tête. Humfry Payne se rappela à Athènes la brisure qu'il avait vue au Musée du Louvre, et un moulage de plâtre démontra effectivement que la Tête Rampin correspondait cassure pour cassure au torse de cavalier du Musée de l'Acropole. Cette tentative géniale allait rendre possible la reconstitution de cette œuvre de sculpture dans son ensemble, du moins graphiquement ou par moulage; d'une œuvre de sculpture, qui, à des tendances visant à la conquête de la spatialité, associe une mise en forme des diverses parties du corps empreinte de plus de vitalité et d'un aspect organique plus prononcé. Dans cette réalisation, un sculpteur attique a tiré les conclusions logiques des données qui lui avaient été fournies par ses prédécesseurs avec le fronton de *pôros* et le Sphinx de marbre.

Mais avec cette restitution réussie le travail sur le Cavalier Rampin n'était pas terminé. L'examen ultérieur des fragments de marbre exhumés au cours des fouilles sur l'Acropole devait permettre d'identifier les restes d'une seconde statue de cavalier, œuvre de style identique et composée en sens opposé. Les débris sont si peu nombreux et leur état de conservation est si médiocre qu'une reconstitution se trouve exclue. La seconde statue, antithétiquement symétrique, est néanmoins attestée sans réserve. Nous sommes par conséquent en présence du monument double de deux cavaliers à barbe courte, œuvre dont l'explication n'est pas facile. En raison

PL. PAGE 103

FIG. 21

FIG. 20 – *Sphinx d'un monument funéraire attique, marbre. Vers 560 av. J.-C. Athènes, Musée du Céramique (D. Ohly in «Neue Deutsche Ausgrabungen» p. 254)*

de la facture apparemment individuelle des traits du visage, il a été proposé d'y voir des statues-portraits. On a même pensé à des portraits des deux fils de Pisistrate, qui, à la mort de leur père, lui succédèrent dans l'exercice de la tyrannie. Il n'est pas nécessaire, dans ce cas, d'aborder la difficile question des possibilités d'une caractérisation individuelle, au VIe siècle, à l'occasion de figurations humaines nommées. Car, lorsque ces statues furent créées, Hippias et Hipparque étaient assurément trop jeunes encore pour être reconnus dans ce type. Une interprétation qui identifierait ces effigies avec les Dioscures serait peut-être plus pertinente. Cependant, l'Acropole n'a pas livré d'autres ex-voto consacrés aux frères d'Hélène, ni des inscriptions se référant à eux. A Sparte, en revanche, les reliefs célébrant les deux frères héroïques sont nombreux. Une telle offrande monumentale y serait beaucoup plus plausible que sur l'Acropole d'Athènes. Ce qui est en tout cas certain, c'est que la

Tête du «Cavalier Rampin», marbre. 560–550 av. J.-C. *Hauteur : 21 cm. Paris, Musée du Louvre. Cf. pages 101 et suiv.*

FIG. 21 – *Statue de cavalier d'Athènes dite Cavalier Rampin, marbre (tête à Paris, Musée du Louvre, torse à Athènes, Musée de l'Acropole). Vers 550 av. J.-C. (H. Payne, Archaic Marble Sculptures from the Acropolis pl. 11a)*

Tête Rampin, comme le prouve la comparaison avec la tête de Sphinx du Céramique, s'affirme comme purement attique. Sans doute est-il même possible d'attribuer au «maître Rampin» d'autres statues du matériel acropolitain, ce que Payne a d'ailleurs tenté. Toutefois, le fragment d'un relief funéraire à peu près contemporain se rapproche encore plus de la Tête Rampin sous le rapport du style. Le personnage représenté ici porte derrière sa tête un disque, tenu par la gauche levée, le visage, qui se trouve encadré par le bord extérieur du disque, apparaissant ainsi comme sur le fond d'un médaillon. Dans ce relief le sculpteur a merveilleusement réussi les délicates transitions entre les divers plans du visage, ainsi que le modelé précis des os crâniens sous la peau tendue. La coiffure d'athlète ressemble à celle de la tête du Dipylon par la façon dont la masse capillaire est liée sur la nuque; mais la chevelure n'est plus composée de boucles dites coralliformes, les divisions étant unique-

PL. PAGE 106

ment horizontales. Il est très probable que la cour de Pisistrate, comme plus tard celle de ses fils et comme la cour de Polycrate, comprenait outre des poètes des sculpteurs et d'autres artistes. Quoi qu'il en soit, la finesse d'exécution de la Tête Rampin et du Discophore semblerait se situer très nettement dans le contexte plus général d'un art de cour. Le relief démontre que l'Attique ne gardait pas seulement son rôle dirigeant dans la plastique votive, dont l'Acropole d'Athènes devait conserver des témoignages si grandioses, mais aussi dans l'art des monuments funéraires. Au VIᵉ siècle, la tombe n'est plus, dans la plupart des cas, signalée par un vase ou par une ronde-bosse, mais par une plaque, qui offre des représentations en relief. Les sculpteurs attiques ont élaboré cette catégorie de reliefs funéraires depuis les parages de 570 av. J.-C., pour la porter à la perfection au cours de deux siècles et demi. Au vrai, ces «stèles» ne constituent pas des monuments moins coûteux et plus modestes. Il n'est pas rare qu'elles dépassent les statues funéraires en grandeur absolue. Cela est pour le moins valable en ce qui concerne les phases premières du développement, au cours desquelles les stèles atteignent parfois, d'autre part, une épaisseur qui leur confère véritablement le caractère de piliers. Elles sont fréquemment couronnées d'un chapiteau, lequel sert en même temps de base pouvant recevoir une figure ou un acrotère végétal. Plus tard, au temps de la démocratie athénienne, la masse de la population et par conséquent les autorités furent plus d'une fois choquées par la splendeur, le luxe et la grandeur de ces reliefs funéraires, au point de faire voter un édit somptuaire visant l'excès de luxe des sépultures. Mais sous l'oligarchie prépisistratique et ensuite sous le régime de la tyrannie il n'était pas encore question de telles interdictions. A cette époque, les étroites stèles dressées de champ étaient ornées d'une seule figure. Elle représente le défunt, dont elle perpétue le souvenir parmi les vivants. Le personnage sculpté de la sorte sur les stèles funéraires était le plus souvent rendu nu, mais il peut aussi être vêtu ou équipé. Les hommes jeunes sont ainsi représentés très fréquemment avec leur équipement sportif. En Attique cette forme de monument funéraire semble d'ailleurs avoir été réservée aux hommes. On connaît toutefois des

*Stèles funéraires attiques*

Discophore, fragment d'un relief funéraire, marbre. 560–550 av. J.-C. *Hauteur : 34 cm. Athènes,
Musée National. Cf. pages 103 et suiv.*

exceptions, des réalisations plus élaborées. Dans un cas, un éphèbe
est ainsi accompagné de sa sœur, représentée à une échelle beaucoup
plus petite. La représentation de la mère et de l'enfant est également
attestée pour l'époque archaïque déjà. Mais il s'agit là de précurseurs isolés de ces «reliefs familiaux», lesquels, en Attique, ne
devaient se généraliser qu'au cours de l'intervalle qui suivit la
première loi somptuaire dirigée contre l'excès de luxe des sépultures,
donc à l'époque classique seulement. Le champ de ces reliefs
funéraires plus récents s'étend plus en largeur et reçoit deux, trois

et occasionnellement un nombre encore beaucoup plus grand de figures.

Les rapports du tyran et de sa famille avec les potiers et les armuriers n'étaient certainement pas aussi étroits que ceux entretenus avec les créateurs d'œuvres d'art de grand format. Néanmoins, ces branches de l'art ou de l'artisanat d'art, aussi, connurent alors une floraison particulière à Athènes. Pour accuser par contraste la singularité caractéristique de la décoration de vases attique, nous examinerons d'abord deux vases sortis d'ateliers laconiens, lesquels sont les seuls à égaler, par la moyenne de leurs produits, la qualité de la céramique d'Athènes au VIᵉ siècle. Le premier est un grand cratère, dans lequel le vin était additionné de plusieurs volumes d'eau, comme cela se pratiquait lors des banquets et beuveries. Pour souligner les formes robustes du récipient, le peintre ne s'est pas servi d'une scène ou d'une frise figurées. Au vrai, la décoration de ce superbe récipient est uniquement fournie par les ornements, qui sont conçus avec beaucoup d'ampleur et dont la précision évoque la gravure sur métal. Depuis la période géométrique, les représentations figurées ont révélé la tendance à acquérir une signification indépendante, autonome, et de nuire ainsi au caractère d'ensemble homogène du vase, sinon même de le détruire. Tant que le peintre laconien se limite à un certain nombre de robustes ornements, qui, dans chaque détail, correspondent d'une manière équivalente au schéma tectonique voulu par le potier, il échappe à ce danger. Chez le peintre attique, on a presque l'impression que ce risque soit volontairement recherché.

Il en va autrement avec la décoration de la catégorie numériquement la plus importante de la céramique laconienne, celle des coupes. Avec ces dernières nous ne rencontrons que peu d'exemples d'un parti strictement ornemental, la plupart des pièces offrant en fait un décor figuré; celui-ci, toutefois, ne se trouve fréquemment qu'à l'intérieur de la vasque, où, recouvert par le vin, il acquiert pour le regard du buveur une vie singulièrement féerique. Un excellent exemple nous est livré par une coupe du British Museum avec une représentation de cavalier. La restitution du personnage à cheval et les divers oiseaux, vautours et aigle, mais principalement

*Peinture de vases laconienne*

s.i. 12

s.i. 15

FIG. 22 – *Coupe laconienne. Vers 550 av. J.-C. Londres, British Museum (R. M. Cook, Greek Painted Pottery pl. 27b)*

la figure ailée stéphanophore – c'est-à-dire porteuse de couronnes – apparaissant derrière lui prouvent que le cavalier est conçu comme héros. La même signification revient probablement à l'ornement végétal issu de volutes qu'il porte sur la tête. De telles représentations nous conduisent à la supposition qu'un certain nombre de coupes laconiennes n'étaient pas seulement conçues en vue de leur destination utilitaire propre – qui était celle d'un vase à boire –, mais, dès l'élaboration du décor peint, pour servir d'offrande funéraire.

FIG. 22   Une surprise nous attend dès que nous regardons le profil du vase debout, et la même surprise dut être ressentie à l'époque par les utilisateurs lorsqu'ils virent apparaître pour la première fois des coupes de cette forme particulière. Les vases à boire plats étaient dotés depuis l'époque géométrique d'un pied tronconique bas ou d'une simple base annulaire, support sur lequel ils sont solidement assis. La nouvelle forme de la coupe à pied haut fut inventée à Sparte, et on peut sans doute affirmer que, dans l'histoire de la céramique grecque, aucune mutation morphologique d'un vase ne devait donner au récipient un aspect aussi changé, en pondération et en tectonique, que cette innovation laconienne. Les effets de cette invention ont été durables en conséquence. Il va sans dire qu'elle devait subir des modifications, elle aussi, au cours du processus créateur toujours vivant de la poterie grecque. Sans les précurseurs laconiens, la catégorie de coupes qu'il est peut-être permis de considérer comme le couronnement de la céramique grecque, celle des coupes attiques à figures rouges des décennies suivant 500 av. J.-C., n'aurait cependant jamais vu le jour. Les possibilités offertes dans le contrebalancement du rapport entre les anses et la vasque, entre la lèvre et le pied élevé, lequel devient de plus en plus mince et élancé au fur et à mesure de l'évolution, sont infinies.

La plupart des coupes laconiennes portent à l'extérieur un décor purement ornemental. Autour du point d'implantation du pied de la coupe s'enroulent des cercles concentriques, des frises de grenades, des motifs foliacés et d'autres ornements simples. Dans la zone d'implantation des prises, une attention particulière est accordée à l'ornementation des anses. Un mode de décoration très sobre de la lèvre, parti qui produit toutefois beaucoup d'effet, consiste à laisser celle-ci sans ornement, seul apparaissant ainsi l'engobe clair, à base d'argiles très fines, qui sert d'ailleurs dans tous les cas de fond pour le décor peint des vases laconiens et de Grèce orientale. D'autres procédés décoratifs font ici appel à des motifs de feuilles, de fleurs, de boutons ou de grenades, lesquels soulignent le caractère de ruban de cette partie du récipient, qui s'évase vers le rebord et affecte parfois un profil légèrement convexe.

On pourra dater la coupe laconienne au cavalier du milieu du VI^e siècle approximativement. D'un genre tout à fait différent sont les vases attiques du même espace de temps. Ils sont aussi à un plus fort degré représentatifs des formes d'art qui avaient alors cours dans l'ensemble de la Grèce. De même que, environ quatre-vingts ans plus tôt, l'olpè Chigi pouvait être considérée comme témoignage type de la céramique de ce palier chronologïque, ainsi le cratère du Musée Archéologique de Florence créé vers 560 av. J.-C., dit «Vase François», peut passer pour l'exemple caractéristique de son époque. Le centre de gravité s'est nettement déplacé de Corinthe à Athènes. Le cratère est signé par Clitias en tant que peintre et par Ergotimos en tant que potier. Il est singulier que dans la peinture de vases attique commencent à présent à s'affirmer des formes analytiques, telles que nous avons pu les observer au VII^e siècle à Corinthe. Peut-être faut-il mettre cette particularité en rapport avec une certaine loi historique, qui veut qu'au sein d'une évolution un phénomène donné ne soit pas rarement suivi du phénomène

*Peinture de vases attique*

PL. PAGES 110
PL. PAGE 111

CLITIAS

Centauromachie. Tableau de col de la face opposée du «Vase François». 570–560 av. J.-C. *Hauteur du vase: 66 cm. Florence, Musée Archéologique. Cf. page 113*

diamétralement opposé. Nous avons pu découvrir les formes monumentales dans la peinture de vases attique de la seconde moitié du PL. PAGE 70 VIIᵉ siècle. Elles sont subséquemment développées par deux artistes, pour nous anonymes, du tournant du siècle, le «peintre de Nètos» et le «peintre de la Gorgone». Cependant, dans les œuvres tardives du peintre de la Gorgone se trouve déjà amorcée cette autre tendance, dont le point culminant sera atteint dans le milieu du VIᵉ siècle par les vignettes miniaturistes de quelques peintres de coupes attiques, lesquels ont été qualifiés très pertinemment de «petits maîtres». Le céramographe Clitias a porté ses formes analytiques à la perfection sur de grandes surfaces picturales et sur un vase d'une hauteur exceptionnelle. Cela a uniquement été possible grâce à

Chasse du Sanglier de Calydon. Course de chars des jeux funèbres en l'honneur de Patrocle. Tableaux de col du «Vase François», cratère à volutes portant les signatures de Clitias et d'Ergotimos. 570–560 av. J.-C. *Hauteur du vase: 66 cm. Florence, Musée Archéologique. Cf. pages 109 et 111* une minutieuse subdivision de l'espace disponible. Clitias a opté pour l'articulation de la surface en six registres horizontaux superposés. Ces frises sont toutes figurées. La décoration ornementale ne joue en comparaison qu'un rôle réduit. La frise principale, qui se situe sur la panse à la hauteur de l'implantation inférieure des deux anses à volutes, relate la visite des Olympiens et d'autres personnages divins et semi-divins aux Noces de Pélée et de Thétis. Sur un côté de la lèvre du cratère se trouve décrit un épisode antérieur de la jeunesse de Pélée: la Chasse du Sanglier de Calydon. Outre Méléagre et Atalante, Pélée participe également à l'aventure. Dans la composition de la frise, le sanglier constitue la figure centrale. Il a déjà fait succomber un chasseur et un chien de la meute, mais les autres l'assaillent sans relâche de droite et de gauche. Dans le cercle des chasseurs, Pélée et Méléagre occupent la place décisive, qui est en même temps la plus dangereuse. Ils tiennent leur courte arme de choc comme le veulent les recommandations cynégétiques antiques et comme le prescrit encore la règle classique de la chasse au sanglier occidentale: ils s'approchent frontalement de la hure de l'animal, en dirigeant l'épieu de la main gauche et en le maniant vigoureusement de la dextre.

PL. PAGES 110

La conception particulière de Clitias tient dans une disposition programmatique des frises figurées, dont le but est d'accorder certains thèmes les uns avec les autres. Outre le mythe de Pélée on distingue deux autres thèmes principaux. Sur la face antérieure du cratère, c'est en quelque sorte la Grèce entière qui se trouve célébrée, dans des représentations légendaires épiques dont Achille est le héros. Par leur contenu, elles se rattachent étroitement au mythe de Pélée. Les noces de Pélée et de Thétis annoncent le cycle légendaire d'Achille, qui est le fils issu de cette union. Il est donc parfaitement logique qu'au-dessus du début de la procession des dieux ainsi qu'au-dessous l'artiste ait traité des thèmes empruntés à la vie d'Achille. En bas nous voyons le héros «aux pieds légers» poursuivant Troïlos, le jeune prince troyen; sur le col du cratère les jeux funèbres organisés par Achille en l'honneur de Patrocle: il s'agit d'une scène de la course de chars par Diomède, Automédon et d'autres Achéens.

PL. PAGES 110

Sur le côté postérieur du vase l'hommage revient à Thésée. En tant que héros régional d'Athènes, il correspond sur cette face au héros national des Hellènes dont les légendes sont narrées sur le côté antérieur. La lèvre du cratère montre ainsi la joyeuse farandole (*geranos*) que Thésée exécute avec Ariane après avoir réussi à s'échapper du palais du Minotaure; au-dessous, sur le col, figure une Centauromachie à laquelle participe Thésée. Ce dernier thème révèle dans un exemple la fraternité d'armes entre le prince thessalien Pirithoos et le jeune héros attique et futur roi Thésée. Par la suite, ce sujet sera aussi très apprécié pour la décoration sculptée des temples grecs. Alors que toutes les représentations citées sont empreintes d'un certain sérieux épique, la frise figurée qui termine tous les cycles narratifs vers le bas et qui est peinte sur le pied tronconique du cratère accuse des accents humoristiques, facétieux. Le thème est ici le combat des Pygmées contre les grues. Nous y reviendrons quand nous aborderons l'œuvre du peintre de vases Néarchos.

La comparaison de ces représentations avec celles de l'olpè corinthienne plus ancienne révèle les différences stylistiques. Elles concernent premièrement le décalage dans le temps qui sépare les deux créations, ensuite la dissemblance des styles régionaux de Corinthe et Athènes, et finalement la divergence de tempérament existant entre les deux peintres. Le Corinthien, bien qu'il se tienne au point culminant, sinon au degré terminal, d'un long développement artistique, dessine d'une façon nettement plus spontanée. Clitias dessine avec application, avec une minutie soigneuse; de ce fait ses figures acquièrent parfois une certaine raideur académique – ce qui ne les empêche pas d'évoluer avec vérité dans des limites assez étendues, c'est-à-dire, suivant le thème choisi, entre la majestueuse dignité et la souple élégance. Ici il convient de mentionner une donnée non négligeable pour le style du temps. Dans cette phase de l'histoire de l'art, le rapport entre les représentations et les choses réelles s'est tellement modifié en comparaison avec la période

FIG. 23 – *Poignée de bouclier de Noicattaro, bronze. Vers 560 av. J.-C. Bari, Musée (Gervasio, Bronzi arcaici pl. 17, à gauche). Cf. S.I. 6, 7 et 10*

géométrique que l'on peut à présent, à partir des tableaux de vases, tirer des conclusions, par exemple, sur les armes réellement utilisées à l'époque. Le casque porté par le Lapithe Hoplon – par le seul nom Clitias l'introduit déjà en tant que représentant du corps des hoplites, c'est-à-dire de l'infanterie lourde – correspond jusque dans le détail à un casque du même palier chronologique découvert à Olympie. Le casque de bronze permet cependant de mieux distinguer certaines particularités, ainsi l'ornement constitué par des clous d'argent au-dessus de la vue et sur les paragnathides, rendu par le céramographe au moyen d'une ligne double. Ce sont surtout les contours qui se retrouvent pareils dans les deux cas. Il en va de même du bouclier et de la cuirasse. De fait, la cuirasse archaïque la mieux conservée qui nous soit parvenue, pièce qui provient également des fouilles d'Olympie et dont l'étincelante tôle de bronze possède aujourd'hui encore son élasticité, remonte précisément aux années de la vie de Clitias.

s.i. 6/7

s.i. 9

Clitias est le second peintre attique dont nous connaissions le nom, grâce à ses propres signatures. Le premier, Sophilos, était peut-être le maître de cet élève spécialement doué. Dans plusieurs cas nous pouvons clairement démontrer le rapport de dépendance entre Clitias et Sophilos. Dans tous ces exemples, Clitias n'a pas aveuglément copié son modèle, mais il introduit des variantes dans les diverses parties des tableaux, et, surtout, il emploie le coup de pinceau qui lui est personnel. Si pour le cortège des invités aux Noces de Pélée et de Thétis, pour la course de chars des jeux funèbres en l'honneur de Patrocle et pour la représentation de la Centauromachie, il s'est ainsi inspiré des schémas fournis par des tableaux antérieurs de Sophilos, il les a transposés dans son style individuel. Clitias continue aussi sous un autre aspect une habitude fondée par le peintre plus ancien: Sophilos ainsi que Clitias ne laissent subsister aucun doute quant au contenu de leurs tableaux. Presque chaque figure particulière est identifiée par une inscription, même des chevaux et des chiens, voire l'autel ou une cruche à eau sont épigraphiquement désignés. Il est évident que ces inscriptions ont une fonction non seulement indicative, mais aussi formelle et décorative.

Aryballe avec la signature de Néarchos. Vers 550 av. J.-C. *Hauteur : 7,8 cm. New York, Metropolitan Museum. Cf. pages 116 et suiv.*

Avec ces tableaux et leurs signatures, avec le rapport existant entre les divers peintres, nous sommes déjà au cœur de la vie et des activités du quartier des céramistes de l'Athènes archaïque. Sophilos avait lui-même façonné, peint et cuit ses vases. Clitias et Ergotimos semblent avoir eu une «firme» en commun, dans laquelle celui-ci travaillait comme maître-potier et celui-là comme maître-céramographe. Mais cette division du travail n'était nullement destinée à devenir une règle immuable. Ainsi Néarchos, qui n'était pas beaucoup plus jeune, un homme que son art devait rendre célèbre autant que riche, peignait en qualité de céramographe les vases qu'il avait lui-même fabriqués. Un rapport de dépendance concernant la thématique, tel que nous l'avons déjà observé entre Sophilos et Clitias, existait aussi entre Clitias et Néarchos. Il s'agit en l'occurrence de la guerre entre les grues et le peuple nain des Pygmées. On peut difficilement imaginer une différence plus grande dans la forme du récipient qu'entre les deux vases sur lesquels les deux peintres ont traité le même sujet. Le vase plus ancien est le grand cratère d'apparat de Clitias, qui offre le thème sur la frise

PL. PAGE 115 ornant le pied en tronc de cône aplati. L'autre est un petit flacon à huile dont la hauteur totale ne dépasse pas 7,8 cm, un aryballe, où notre sujet apparaît sur le bord en ruban du disque formant embouchure, emplacement qui tolère une hauteur de figure de 1 cm seulement. Dans ce format miniaturiste, l'imagination du peintre se donne libre cours. Les divers personnages sont dessinés beaucoup plus hâtivement, plus rudimentairement même que chez Clitias. Mais avec quelle agile véhémence les péripéties du combat sont représentées! Dans le groupe de droite une grue a recours à une technique bien appropriée à ces oiseaux: elle essaye en effet, en se servant de son long bec, de crever l'oeil de son adversaire nain. Plus à gauche un Pygmée est en train de succomber devant le volatile qui lui fait face, mais, brandissant une massue, un de ses compagnons d'armes arrive juste à temps pour le secourir. Le duel que l'on aperçoit tout à fait à gauche demeure indécis; à droite de ce groupe un Pygmée évacue du champ de bataille le cadavre d'une grue. D'autres représentations figurées, telles que Persée avec chapeau et chaussures ailées, se trouvent sur l'anse. Pour toutes ces images l'artiste a employé très judicieusement une couleur de rehaut d'un rouge pourpre. Mais l'ornementation la plus réussie, du point de vue céramique, est constituée par les croissants qui alternent du noir au rouge, et qui, en triple division horizontale, imitent en quelque sorte avec les moyens picturaux le modelé galbé du vase. A l'origine l'effet de polychromie était plus vif encore, car un croissant sur fond de terre cuite sur deux était couvert de blanc; cette couleur de rehaut, assez fragile, a aujourd'hui en grande partie disparu, ne laissant que quelques traces. Malgré le parti hâtif du dessin dans le ruban de la frise, ce vase minuscule est en tout cas un chef-d'œuvre du style miniaturiste attique. La façon dont il se distingue de la manière corinthienne plus ancienne d'une centaine d'années est révélée par la comparaison avec le petit lécythe couronné d'une tête de femme ou avec le vase plastique PL. PAGE 43 affectant la forme d'un canard suffisant. Tout au moins le plus PL. PAGE 83 grand charme de la polychromie revient à l'aryballe globulaire attique.

Malgré cette réussite exceptionnelle dans le domaine des «petits *Peintres et potiers* maîtres», Néarchos est précisément un de ces peintres attiques qui, non seulement dans la grandeur absolue de leurs figures, mais aussi et surtout dans l'*èthos* des représentations, réélaborent lentement un style de grand format. Alors que ses deux fils, Tléson et Ergotélès, également des hommes réputés du quartier des potiers (Céramique), ont fabriqué et signé en qualité de potiers un certain nombre de coupes du type «des petits maîtres», d'un bon niveau artisanal, le père peint avec quelques autres céramographes de ces années-là, artistes peut-être plus doués encore, des vases plus grands – canthares, amphores – et aussi des tableaux sur terre cuite *(pinakes)*, qui créent une atmosphère dans laquelle pourra se développer l'art du plus important peintre attique dans la technique à figures noires, Exékias. L'un de ces peintres est Lydos. Certes, si les formes simples PL. PAGE 155 du *gorgoneion* sur une assiette peinte par cet artiste démontrent déjà très nettement que ce style ne tolère rien d'analytique, de miniaturiste, il n'en demeure pas moins vrai que la percée vers un style nouveau, de contenu dramatique, pourra uniquement s'opérer dans le «tableau d'action». Non pas que la représentation d'une action ait été à l'époque quelque chose d'absolument nouveau dans l'art archaïque. Au contraire: depuis le VIIᵉ siècle finissant, les céramographes ont relaté des contes et légendes, d'abord sur le tableau apparaissant sur le col des grandes amphores, ensuite, au VIᵉ siècle, sur la panse des amphores à vernis noir, où se trouve réservé un champ de tableau sur fond d'argile. Relaté – le plus souvent en s'inspirant de la poésie épique – avec ce plaisir primitif, immédiat de l'action en tant que telle, et avec cette joie primitive de représenter cette action de la façon la plus drastique possible. Les sculpteurs de reliefs abordaient leurs thèmes avec ce même goût narratif. Principalement dans le décor des frontons, nous avons vu que, partie des angles extérieurs moins significatifs du tympan, cette tendance à représenter une action très expressivement par l'image gagne de plus en plus de terrain. D'ailleurs, l'exubérante abondance d'images du cratère de Clitias est-elle autre chose, en dernière analyse, qu'une manifestation de ce goût narratif?

*Spatialité et organisation de l'espace*

Il nous a déjà fallu effleurer le problème de la spatialité au sujet de la plastique attique. Que l'échelonnement des figures, que les entre-croisements, qui impliquent pour le moins une différence d'espace entre un plan antérieur et un plan postérieur, que la vue de trois quarts enfin soient apparus en premier lieu dans le relief de fronton est significatif. Au vrai, délimité par le cadre triangulaire des *geisa*, le tympan constitue déjà un espace en soi, dans lequel sont insérées les figures de fronton et à l'égard duquel ces dernières se placent obligatoirement dans un rapport tridimensionnel déterminé. Mais l'espace tympanal n'est en fait qu'une partie relativement réduite du temple. Pour le temple dans son ensemble, le problème de la distribution, de l'organisation artistique de l'espace se pose comme pour n'importe quelle autre œuvre d'architecture. Il se pose comme possibilité immanente dès qu'il y a construction, partout et toujours. Naturellement il peut aussi être négligé – sans préjudice de la solidité statique ou de la destination religieuse de l'édifice. Ainsi, nous avons pu voir que dans l'espace intérieur du premier temple d'Héra à Samos, pour lequel nous avons même admis l'intégration de certaines forces de portée magique, l'articulation spatiale devait à peine jouer un rôle en tant que problème artistique. Le besoin

FIG. 5

d'une ordonnance artistique des diverses constituantes de l'espace et d'un rapport codifié des proportions ne s'affirmera de plus en plus qu'avec un agrandissement de l'espace, lequel se produit le plus simplement par la suppression des supports axiaux. De ce fait, l'espace intérieur à deux nefs se trouve transformé en un espace nouveau, uniforme et en même temps plus étendu. L'ouverture plus grande exige pour les entraits du comble, par endroits, un renforcement du mur sous forme de contreforts ou d'éperons; mais il s'agit là d'articulations verticales, qui créent une ordonnance rythmique du mur et, grâce aux niches nées entre elles, de l'espace intérieur. Ce niveau du développement est représenté, à peu près au milieu du VII<sup>e</sup> siècle, par le premier temple d'Héra à Olympie. Cette construction ne constitue encore nullement le type équilibré, accompli du temple archaïque d'ordre dorique. Il faut toutefois reconnaître qu'elle renferme déjà de nombreux éléments tendant vers la forme ultérieure achevée. La marque caractéristique du type de temple canonique subséquent – en ce qui concerne l'espace intérieur – est la colonnade double, laquelle divise la cella en un large vaisseau central et deux étroits collatéraux. La genèse de cette articulation canonique de l'espace intérieur du temple a certainement été spontanée. Etant donné, cependant, qu'il est non moins certain qu'elle présuppose de tels exemples d'architecture grecque où la paroi se trouve verticalement subdivisée et rythmée, on peut tenter rétrospectivement la dérivation typologique du plan normal à trois nefs de ces schémas d'ordonnance intérieure fondées sur une articulation par niches. D'ailleurs, il suffit pour cela de supprimer par la pensée cette partie des éperons qui relie leur extrémité en pilastre d'ante ou en demi-colonne au mur longitudinal du temple: il en résulte immédiatement pour la cella une file double de supports intérieurs. Dans certains cas – et il en va ainsi avec le plan du temple d'Héra à Olympie – les niches formées par les éperons étaient suffisamment grandes pour en quelque sorte inviter des colonnes isolées à venir occuper la place centrale entre les faces antérieures

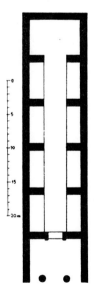

FIG. 24 – *Olympie, Héraion I. Vers 650 av. J.-C.*
*(Jahrbuch des Inst. 61/62, 1946/47, p. 48)*

de deux éperons parallèles voisins: typologiquement un maillon intermédiaire réel entre l'espace intérieur articulé par des cloisons en saillie symétrique transversale et l'espace intérieur divisé en trois nefs.

*Temple d'Héra à Olympie* Assez singulièrement, le temple d'Héra à Olympie révèle aujourd'hui encore le remplacement de la colonne de bois par la colonne de pierre. Car les formes stylistiques de détail des colonnes individuelles du péristyle qui enveloppe la cella sont très variées. Des fûts trapus alternent avec des fûts moins courts et moins ramassés, des chapiteaux raides avec des chapiteaux plus larges et renflés. Tout cela suggère que des colonnes de bois jadis existantes ont été remplacées à des époques très différentes par les colonnes de pierre encore conservées de nos jours pour une bonne partie. Cette considération se trouve confirmée par une remarque de Pausanias dans sa *Périégèse de la Grèce*, selon laquelle le temple d'Héra aurait de fait possédé originairement des colonnes de bois, dont une seule, presque à titre de curiosité pour les visiteurs du sanctuaire d'Olympie, était encore visible du temps de Pausanias dans l'opisthodome du temple. Les plus anciennes des colonnes conservées remontent au début du VIe siècle av. J.-C. A cette époque, et dans toutes les parties de la Grèce, la pierre était donc aussi devenue le matériau courant pour tous les détails de l'architecture sacrée. Cela est valable pour l'ordre dorique comme pour l'ordre ionique.

*Temple d'Artémis à Ephèse*

FIG. 25 Parmi les grandes constructions monumentales ioniques du degré de développement archaïque achevé, c'est le temple d'Artémis à Ephèse que nous connaissons le mieux. Certes, il n'est pas le plus ancien de ces gigantesques temples ioniques. Il a été précédé par l'édifice qui succéda au second temple d'Héra de Samos long de cent pieds (Hécatompédon 2), à savoir par le troisième temple samien d'Héra, construit au cours du second quart du VIe siècle dans des proportions colossalement agrandies. Il existe d'ailleurs un autre lien étroit entre les deux édifices, dans ce sens que Théodoros, l'un des architectes du troisième Héraion, fut mandé de Samos à Ephèse pour y participer à la construction de l'Artémision. Les données fournies par l'Héraion samien, les expériences qui y avaient été faites profitèrent au nouveau au chantier d'Ephèse. Le temple plus récent, dont la période de construction se situe dans le

milieu du VI<sup>e</sup> siècle, offre une ornementation architecturale et surtout un décor sculpté, c'est-à-dire des reliefs, plus riches considérablement. Crésus (Kroïsos) de Lydie, le souverain d'Asie antérieure sans doute le plus hellénisé de son temps, avait – comme le rapporte Hérodote dans son ouvrage historique (I 92) – offert pour ce temple de somptueuses colonnes, dont les tambours inférieurs s'ornaient de reliefs figurés *(columnae caelatae)*. Les fouilles entreprises à Ephèse n'ont pas seulement livré des restes de tels reliefs annulaires de colonne, mais aussi des fragments des inscriptions dédicatoires correspondantes, qui citent le roi Crésus comme donateur. D'autres organes d'architecture, principalement de vigoureux et sobres chapiteaux ioniques, ont été découverts *in situ*. Le plan nous est relativement bien connu. Le temple aura eu 126 ou 128 colonnes. Il était du type «diptère», c'est-à-dire que sa cella s'entourait d'une double colonnade; la cella elle-même était à trois nefs, et dans le profond pronaos (vestibule) et dans l'opisthodome se dressaient également des rangées de colonnes. Le grand nombre de cannelures à arêtes vives – de 40 à 48 – faisait paraître mince l'impression optique des colonnes. Seuls les supports qui s'élevaient en façade et devant le pronaos du temple s'ornaient des reliefs figurés dont nous avons fait état. Vu de l'extérieur, le temple devait donc de prime abord produire l'effet d'une forêt de colonnes – forêt assurément très soigneusement ordonnée; mais dès qu'on se rapprochait on pouvait admirer la finesse et la richesse de la facture plus particulière: un monument impressionnant, où, toutefois, les formes de détail étaient également exécutées avec amour et application. De telles formes de détail vont à présent réapparaître constamment dans l'architecture ionique pour les motifs les plus divers. Leurs types les plus simples sont la file de «denticules» et la «cymaise *(kumation)* ionique». L'Artémision d'Ephèse offre ces deux éléments d'ornementation comme terminaison supérieure de l'architrave et transition vers la toiture. La cymaise ionique (oves) et une file de

FIG. 25 – *Ephèse, Artémision archaïque. Milieu du VI<sup>e</sup> siècle av. J.-C. (Krischen, Die griechische Stadt pl. 33)*

perles constituent également l'ornementation terminale supérieure du socle de l'autel de Poseidon du cap Monodendri près de Didyme FIG. 26 en Asie Mineure. Comme ornement particulièrement impressionnant, nous y voyons en outre apparaître les volutes, qui sont la forme directrice de l'art décoratif ionique dans son ensemble, et en architecture plus spécialement pour la décoration des chapiteaux; leurs enroulements s'opposent à la verticale aux angles de l'autel, et dans les écoinçons ainsi déterminés elles portent des palmettes de facture plastique.

Une articulation d'une si exquise finesse, révélée par les exemples mentionnés de formes architecturales ioniques, est étrangère à l'ordre *Temple d'Apollon à Corinthe* dorique contemporain. Ici, en revanche, s'affirme avec une singulière évidence cette notion de «substance», de pesanteur spécifique, qui a été définie plus haut comme le caractère principal des manifestations artistiques de style archaïque au VI$^e$ siècle. Ce trait a déjà été accusé par les colonnes vigoureusement trapues du temple d'Artémis à Corcyre, dont les tympans offraient d'immémoriales représentations terrifiantes de la Gorgone. Il se retrouve maintenant, environ quarante ans plus tard, vers le milieu du siècle et contemporain de l'Artémision d'Ephèse, avec le temple d'Apollon à PL. PAGE 127 Corinthe. Les sept colonnes debout subsistantes, qui portent encore des morceaux d'architrave de l'un des angles, font aujourd'hui partie des ruines les plus grandioses de Grèce. A cette impression contribue le fait qu'il s'agit en l'occurrence de colonnes monolithiques, c'est-à-dire que le corps de chaque colonne est d'une seule pièce. La hauteur comprend quatre diamètres inférieurs et un tiers. Si, malgré ces proportions très épaisses, l'édifice ne paraît pas informe et exagérément massif; cela provient de la pulsation rythmique, de l'harmonieuse vibration qui s'est déjà emparée de l'ensemble de cette construction, un phénomène qu'on n'observe en général qu'à partir de l'architecture du V$^e$ siècle: l'*entasis*, la légère convexité des arêtes des colonnes, galbe sensible mais non exagéré qu'on obtient en arquant vers l'extérieur les génératrices du fût; la légère inclinaison de l'axe de la colonne d'angle vers l'intérieur de l'édifice, la colonnade se fondant ainsi avec la cella en une unité, un corps plastique; finalement un traitement particulier des

FIG. 26 – *Autel du cap Monodendri près de Milet. Second quart du VIᵉ siècle av. J.-C. (H. Berve-G. Gruben, Griechische Tempel und Heiligtümer 234 ill. 111)*

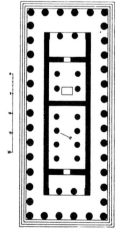

fondements et du soubassement à degrés dans l'architecture classique grecque, la courbure, dont le temple corinthien d'Apollon ne témoigne que sur ses petits côtés. Par courbure on entend le bombement du dallage, c'est-à-dire la dépression voulue, régulière et exactement calculée, aux angles et vers les angles, de l'assise horizontale (stylobate) qui supporte les colonnes, les arêtes des degrés apparaissant ainsi en visée longitudinale non pas comme ligne droite, mais comme courbe régulière. Ce traitement sert également la cohésion, l'accord rythmique de toutes les parties de l'édifice; cependant, alors que l'*entasis* et l'infime inclinaison centripète de l'axe des colonnes sont immédiatement visibles pour l'observateur attentif, l'effet harmonisant, voire même déterminant de la courbure ne se produit qu'inconsciemment et non pas directement dans l'impression optique.

FIG. 27 – *Corinthe, temple d'Apollon, vers 550 av. J.-C. (H. Berve-G. Gruben, Griechische Tempel und Heiligtümer 143 ill. 39)*

A l'élévation homogène et en même temps articulée correspond un plan simple, considérablement raccourci par rapport aux formes FIG. 27 étirées en longueur de la période primitive. Dans l'architecture religieuse ionique, les grands édifices monumentaux, tels que l'Artémision d'Ephèse, avaient déja introduit, au lieu des proportions initiales de 1 : 5, celles qui attribuent aux longs côtés à peu près le double de la longueur des petits côtés. Il en va de même avec le temple de Corinthe. Dans l'architecture sacrée dorique, la différence fondamentale dans les proportions devient également manifeste dès que l'on compare, par exemple, le temple d'Héra à FIG. 24 Olympie et le temple d'Apollon à Thermos d'une part, avec le FIG. 12 temple d'Apollon à Corinthe d'autre part. Dans le nombre des colonnes seulement, où le rapport est de 6 : 15, se retrouve un certain écho du schéma traditionnel du temple accentué dans son étendue longitudinale.

L'architecture dorique des colonies grecques en Italie méridionale *Architecture et relief* et en Sicile accuse un léger retard dans la mise au point et le dé- *architectonique en* veloppement des formes constructives; de même que l'histoire de *Grande-Grèce* l'art statuaire et du relief dans ces territoires coloniaux grecs. Nous reviendrons sur ce phénomène dans le contexte de l'architecture au cours de notre examen du temple d'Athéna de Paestum. Pour ce PL. PAGE 186

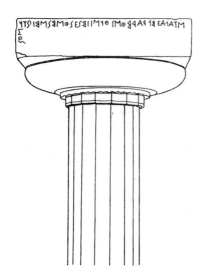

FIG. 29 – *Chapiteau dorique d'une colonne funé-raire, calcaire. Premier quart du VIe siècle av. J.-C. Corfou, Musée (G. Rodenwaldt, Alt-dorische Bildwerke in Korfu, pl. 1)*

qui est de la sculpture, on rappellera ici que des reliefs de métopes, par exemple, qui, à Athènes, Delphes ou Corinthe seraient à situer chronologiquement dans les débuts du VIe siècle, ou même dans la

PL. PAGE 47

succession de reliefs d'architecture tels que la déesse au voile de Mycènes, doivent être datés nettement plus bas en Grande Grèce. A tous ces cas s'applique absolument le principe d'histoire de l'art qui veut qu'il faut dater en fonction de la forme particulière stylistiquement la plus récente. Ainsi, une série de métopes, les

FIG. 28

moins récentes qui soient conservées à Sélinonte, ne sont nullement aussi anciennes, à l'échelle de la chronologie absolue, qu'il était autrefois convenu de l'admettre. Le relief de l'Enlèvement d'Europe, qui fait partie de cette série de métopes, évoque assurément les compositions héraldiques de la période primitive, par exemple les

PL. PAGE 78

métopes peintes du temple de Thermos. Cette impression est soulignée par la rigoureuse stylisation de la forme figurative dans son ensemble, également par la vue de face méplate de la tête de taureau tournée orthogonalement hors du plan du relief. Mais on remarque bientôt la caractérisation extraordinairement bien réussie du mouvement natatoire des membres antérieurs du taureau. Les dauphins, qui évoluent contre le bord inférieur du tableau, sym-bolisent la mer qu'il fait franchir à Europe. Pour une datation dans

Corinthe. Temple d'Apollon. Milieu du VIᵉ siècle av. J.-C. *Cf. pages 123 et suiv.*

le milieu du VIᵉ siècle de ce relief d'une esthétique à première vue si primitive, le facteur déterminant est toutefois constitué par le rendu clair et relativement libre du drapé du chiton entre les jambes de la fille d'Agénor emportée par le taureau, sur lequel elle se tient en équilibre instable, cherchant d'une main à prendre appui et tenant serrée de l'autre la corne droite de l'animal, pour ne pas glisser dans l'eau. De même, la longue série de métopes du sanctuaire d'Héra à Foce del Sele près de Paestum, en partie stylisée avec une étonnante finesse et animation du détail, n'est pas, malgré le parti général parfois véritablement élémentaire de la composition des divers tableaux, un témoignage de la période que nous étudions à présent, mais appartient à la seconde partie très avancée du VIe siècle.

Essayons cependant de saisir une fois encore les formes architecturales proprement dites, là où elles nous parlent le plus éloquemment, à savoir sous l'aspect concis des chapiteaux, lesquels élucident d'ailleurs le plus clairement la spécificité respective des ordres d'architecture dorique et ionique. Le prototype du chapiteau dorique achevé, certes à un degré primitif de son développement, a

FIG. 29    été conservé par le monument funéraire d'un certain Xenvarès dans l'île de Corcyre. Le tailloir qui termine le chapiteau vers le haut, c'est-à-dire l'abaque, porte l'inscription suivante: «Monument je suis sur le tertre funéraire de Xenvarès, du fils de Meixis». La fonction technique d'une traverse, plaque carrée transversale entre colonne et entablement, qui consiste à protéger des intempéries et plus spécialement de l'humidité l'about exposé d'une poutre verticale, ne donne évidemment que dans le cadre de la bâtisse en bois une explication rationnelle des formes architectoniques. Néanmoins, on peut aisément s'imaginer qu'au cours d'une phase transitionnelle entre la construction en charpente et l'architecture de pierre les colonnes auront encore été en bois, alors que les chapiteaux étaient déjà exécutés en pierre. Une telle explication technique des formes des chapiteaux ne conviendrait en tout cas que pour une partie du chapiteau dorique, l'abaque – et également pour l'organe en volutes du chapiteau ionique. Nous devons à G. Rodenwaldt une interprétation très plausible de l'échine, du coussinet placé sous l'abaque: il suppose que dans la bâtisse en bois originaire, à l'endroit où le poteau recevait la traverse, le chapeau, c'est-à-dire le futur abaque, l'extrémité supérieure de la poutre était enveloppée, pour une protection plus efficace de l'about, de cordes et de bandages imprégnés de résine. Du point de vue formel, l'échine assure la transition entre l'abaque de plan carré et la colonne de section circulaire. Alors que dans les exemples les plus anciens, où l'échine s'inscrit dans un cône d'épannelage extrêmement ouvert, on semble pouvoir lire, dans l'aspect largement écrasé et en forte projecture, la pression des masses de charge de l'entablement et de la toiture, les formes plus récentes de l'échine dorique illustrent de façon

FIG. 30 – *Chapiteau éolien de Klopedi dans l'île de Lesbos, calcaire. Milieu du VIᵉ siècle av. J.-C. Mytilène, Musée (Annuario della Scuola Arch. di Atene 1946/48, 31 ill. 4)*

différente les lois de statique. Car elles expriment en fait l'équilibre entre pied-droit de «support» et plate-bande de «charge», entre «butée» et «contre-butée», par la tension visible de la courbe convexe, c'est-à-dire du profil sensiblement parabolique, entre le diamètre supérieur de la colonne et l'abaque.

Le chapiteau dorique est l'illustration la plus manifeste de l'accroissement en substance que nous devons attribuer à l'architecture grecque de ce temps. Le chapiteau ionique, qui a été créé à la même époque sous sa forme canonique, révèle plus discrètement ce processus de transition d'une bâtisse en bois à une architecture de pierre. Sa forme particulière, le chapiteau dit éolien, ne représente FIG. 30 pas l'élaboration originelle du type du chapiteau ionique, mais s'est développée dans le domaine de l'ornementation des arts mineurs, des ustensiles et de la décoration de vases, pour prendre son essor dans l'ébénisterie d'abord, dans les travaux de charpente ensuite. En architecture, son rôle devait se restreindre dans d'étroites limites géographiques et chronologiques. Il en va tout à fait autrement avec le chapiteau ionique du type canonique. Au vrai, parce que ses formes compliquées réagissent avec plus de sensibilité à l'évolution historique que celles du chapiteau dorique plus simple, il allait constituer, à partir de sa création au cours des années autour de 600 av. J.-C., pendant tous les siècles de l'Antiquité et dans toutes les parties du monde ancien, une échelle graduée pour l'appréciation des modifications stylistiques dans l'ornementique architecturale. Les volutes, qui, autant pour le chapiteau éolien que pour le chapiteau ionique, déterminent l'effet, sont caractéristiques de l'ornementique ionique tout court. Il est possible que ces grandes volutes s'ajoutaient déjà aux chapiteaux du deuxième temple d'Héra à Samos, en bois sculpté. Les plus anciens chapiteaux ioniques de pierre qui soient parvenus jusqu'à nous appartenaient à des ex-voto consacrés dans les sanctuaires d'Apollon de Délos et Delphes, et ils sont exécutés en marbre naxien. A l'instar des plus anciens chapiteaux doriques, ils se présentent avec une assise oblongue; le raccordement des volutes, c'est-à-dire le chapeau ou sommier originaire monumentalisé, est plat; avec ses subdivisions verticales, le bourrelet sous-jacent se traduit par les «oves», un ornement en pendentif à feuilles ou languettes. La forme ornementale ainsi articulée devait rester caractéristique de l'architecture ionique au même titre que les larges enroulements en volutes: les profils d'architecture ornés d'une telle retombée foliacée sont pour cette raison désignés par le terme de cymaise *(kumation* ou *kuma)* ionique. L'association aux volutes opposées d'une palmette naissant verticalement à leur point de rencontre sera constamment reprise par les antéfixes au bord de la toiture des grands temples. Avec les acrotères, qui décorent le sommet et les angles des frontons, la même syntaxe ornementale aboutit à des formes plus complexes. Les acrotères faîtiers développent le plus souvent le motif des volutes sur plusieurs étages, et dans ce cas des palmettes apparaissent également au point où les volutes amorcent leur premier enroulement spiralé. Des compositions très analogues se rencontrent comme couronnement d'étroites stèles funéraires. La stèle proprement dite ne porte pas nécessairement de relief. Dans quelques cas, l'effigie mémorial du défunt n'a pas été sculptée mais peinte; dans d'autres cas, la stèle n'offre qu'une brève épitaphe sur le rectangle vertical de sa surface. Sur la face antérieure d'une stèle funéraire du Fine Arts Museum de Boston, qui est encadrée en haut par un listel plat et sur les côtés par des boudins, nous ne voyons plus que de faibles traces de peinture. Cette stèle, qui provient du nord de l'Asie Mineure, constitue néanmoins l'un des plus beaux exemples conservés d'un couronne-

FIG. 31 – *Stèle funéraire, marbre. Après 550 av. J.-C. Boston, Museum of Fine Arts (Jahrb. d. Inst. 79, 1964, 190 ill. 48)*

Chapiteau ionique. Milieu du VIe siècle av. J.-C. *Largeur : 79 cm. Samos, Héraion. Cf. ci-dessous*

ment ornemental du type mentionné. D'après le style, en raison de la consistance du bouton de lotus et des palmettes, qui témoignent très peu du lent processus d'assouplissement des formes alors amorcé, il résulte une datation dans les années quarante du VIe siècle. Un chapiteau de Samos, qui aura probablement appartenu à l'un des petits temples du sanctuaire d'Héra, sans qu'il soit possible de l'attribuer avec certitude à l'un en particulier de ces

PL. PAGE 132

édifices connus dans leur plan, a considérablement modifié les formes originelles larges et plates des chapiteaux ioniques plus anciens. Il ne peut plus être question, à présent, de plans méplats; le chapiteau est devenu une création éminemment plastique. Certes, les volutes s'intègrent encore complètement dans la masse du chapiteau; mais les circonvolutions des spirales et leur raccordement horizontal accusent de la tension et une vigoureuse élasticité. L'ornement foliacé se détache toutefois sous l'organe en volutes avec une véritable exubérance. Grâce à de telles élaborations, dans l'architecture, la substance du matériau est d'une part mise pleinement en valeur, d'autre part maîtrisée jusque dans le détail par le parti formateur plastique. Au vrai, elles ne sont possibles que pendant un court moment de la chronologie. Car elles se situent à cette limite extrême où le pendule de l'évolution historique s'immobilise un temps infime pour ensuite repartir en sens inverse. Le chapiteau samien révèle la beauté unique de la maturité archaïque, une beauté qui trouve en elle-même son propre accomplissement. Dorénavant, les corps et les membres – aussi les organes corporellement plastiques de l'architecture – paraîtront plus souples, peut-être également plus animés, mais aussi, en contrepartie, un peu plus légers, dotés d'une pesanteur moindre.

# IV. ACHÈVEMENT: PÉRIODE TARDIVE ET FIN
## (env. 550–490 av. J.-C.)

Au cours des cinquante années qui s'écoulèrent entre le premier coup d'Etat de Pisistrate et l'expulsion de son fils Hippias, l'histoire stylistique à Athènes se révèle singulièrement constante, et cela bien que l'histoire politique du même espace de temps y ait été passablement mouvementée: exil et retour de Pisistrate, mort du dictateur et succession au pouvoir assumée par ses fils, bannissement du riche *genos* des Alcméonides et finalement meurtre d'Hipparque, de l'un des deux tyrans frères. Cependant, quand on compare l'une des statues de *kouros* attiques un peu plus grandes que nature du troisième quart du VIe siècle avec le Couros de New York, plus ancien de trois générations approximativement, on pourrait penser de prime abord qu'aucune modification n'ait eu lieu dans cet espace de temps pourtant assez long. Examinons toutefois de plus près la statue du Musée National d'Athènes, qui provient d'Anavyssos. Certes, il s'avère que la force du type du *kouros*, celui-ci une fois créé, demeura déterminante pour les sculpteurs sur de longues décennies. Notre exemple offre néanmoins des proportions changées. La principale modification est celle de la tête, qui est devenue plus petite par rapport au reste du corps. D'autre part, le corps et les membres ont acquis une mobilité organique, ils sont tendus même à l'état de repos. A cela correspond le fait que l'anatomie du corps soit plus nettement accusée dans le sens organique. Les muscles sont représentés sous un aspect plus gonflé. La dissemblance essentielle réside toutefois dans l'exécution du visage, qui obéit à un parti de plus grande différenciation physionomique. Il peut certes s'agir d'un hasard si, de l'œuvre plus récente, nous possédons aussi le bloc à degrés formant base, avec une inscription indiquant le nom de Croïsos (Crésus) pour le personnage représenté: toujours est-il qu'elle ne demeure plus pour nous anonyme comme le Couros du maître du Dipylon. Toutes ces différences très fines et néanmoins non négligeables se retrouvent dans chaque détail, surtout dans la

*L'art au temps de Pisistrate*

PLASTIQUE
PL. PAGE 134
S.I. 4

133

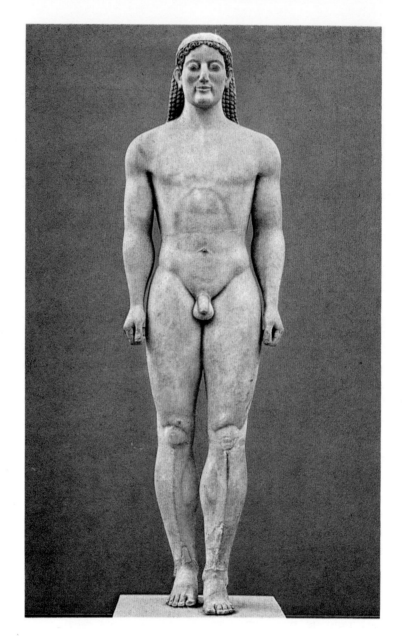

Statue funéraire de Croïsos, marbre, d'Anavyssos en Attique. Troisième quart du VIe siècle av. J.-C. *Hauteur: 1,94 m. Athènes, Musée National. Cf. pages 133 et suiv.*

forme de la bouche et des yeux, et dans la stylisation plus délicate et riche en motifs de la chevelure.

Le nom de Croïsos, fourni par la précision épigraphique de la base, est plutôt singulier. Selon toute probabilité, des parents attiques – quels qu'aient pu être leurs motifs – auront nommé leur fils d'après le roi hellénisé de Lydie (Crésus). D'ailleurs, beaucoup des particularités que nous avons citées, qui caractérisent la statue de la seconde moitié du siècle et la distinguent d'une effigie du VII$^e$ siècle, ne viennent-elles pas, en dernière analyse, également de l'Orient?

On a longtemps hésité, au sujet d'une statue assise découverte dans s.i. 5 l'ancienne capitale de Samos, œuvre dont la tête n'est malheureusement pas conservée et qu'une inscription sur la surface latérale du trône identifie comme ayant été dédiée à la déesse Héra par un certain Æacès, pour savoir si elle représentait le personnage nommé Æacès ou la déesse elle-même. La vraisemblance indiquerait plutôt Æacès, lequel se sera fait figurer dans l'attitude du souverain oriental et aussi des prêtres régnants grecs de la Didyme anatolienne; ni le traitement de la chevelure, avec six nattes bouclées retombant sur les épaules, ni la poitrine opulente ne constituent, à proximité de l'Orient et pour un homme riche et influent, des arguments décisifs contre une telle interprétation. La date de la statue est très contestée. Pour une création dans les années quarante et aussi vingt du VI$^e$ siècle, voire même dans les débuts du V$^e$, ont été avancés des motifs sérieux. Cela s'explique sans doute en partie par le fait que deux hommes du nom d'Æacès nous sont attestés en tant que personnages historiques à Samos. L'un était le père, l'autre un neveu du tyran samien Polycrate. La controverse savante a en tout cas démontré que la plus ancienne des dates proposées peut également se défendre avec des raisons valables et qu'elle est donc possible en principe. En fait, la statue se conçoit le mieux dans les années immédiatement antérieures à la réussite du coup d'Etat de Polycrate – fils d'une famille qui était déjà notable –, ou aussi dans les premières années de la tyrannie de Polycrate. Qu'un Æacès totalement inconnu par ailleurs, sans liens avec la famille de Polycrate, ait pu dédier la statue – possibilité qui a été effectivement prise en considération –, paraît très invraisemblable, en raison de la bonne qualité et du caractère exceptionnel de la figure. Car elle représente en tout cas une percée dans le système de formes traditionnel de l'art ionique, qui va cependant de pair avec la perpétuation soulignée d'un type statuaire élaboré en Orient. Cette constatation n'est pas une contradiction en soi, elle renforce au contraire l'association de la statue avec une situation historique et géographique donnée, et aussi avec la personnalité déterminée dont elle est l'effigie.

PL. PAGE 95 Une comparaison de l'Æacès avec la statue également samienne d'Ornithé semble révéler de prime abord une différence stylistique presque plus grande que celle qui nous est apparue entre le Couros de New York et l'effigie de Croïsos. Au lieu de la surface uniformément couverte de plis de la statue d'Ornithé, nous avons à présent une surface d'un aspect vigoureusement modelé et animé : les jambes sont nettement dessinées par la draperie collante, la plicature est disposée par paquets, les nattes – d'une régulière ordonnance compacte chez Ornithé – sont séparées les unes des autres. Maintenue, en revanche, se trouve la tendance verticale dans les lignes de composition de la figure. Fait singulier : malgré ces manifestations d'une esthétique moins rigide, la statue assise d'Æacès n'est pas une sculpture d'une conception plus «naturaliste». Car, progressivement détachés du bloc statuaire et de la surface homogène, les divers éléments figuratifs sont soumis, chacun en particulier, à une stylisation beaucoup plus absolue. Une telle audace dans l'élaboration artistique témoigne d'un tempérament artistique plus individuel; l'originalité de l'idiome formel peut d'ailleurs s'interpréter comme le signe d'un désir de figuration individualisée de la part d'Æacès. En Attique – et pas plus dans le Péloponnèse – un membre d'une vieille famille aristocratique ne se serait pas fait représenter dans des formes de style aussi expressives; mais en Attique, et cela jusqu'en plein $V^e$ siècle, les artistes ne se sont pas non plus servis de moyens de représentation si peu conventionnels. Par des œuvres d'art de ce genre allait néanmoins se produire dans l'ensemble de la Grèce un changement, qui se manifeste dans une détermination psychologique plus nuancée, plus individuelle, surtout du visage. Ce phénomène s'était déjà observé dans le Croïsos d'Anavyssos. Il se révèle aussi avec les reliefs funéraires contemporains. Car il est significatif que l'on rencontre à présent en Attique les exceptions mentionnées plus haut à la règle que les reliefs funéraires archaïques RELIEF se limitent aux étroites stèles verticales et ne représentent en général que des personnages masculins. La plus importante de ces exceptions, parce que la plus déterminante pour l'avenir, est constituée par un fragment de marbre découvert il y a quelques années seulement, qui PL. PAGE 138 fait partie des pièces les plus intéressantes et aussi les plus impressionnantes du Musée National d'Athènes.

A l'origine cette stèle sculptée en relief était aussi plus haute que large, mais il ne faut certainement pas la compléter suivant un schéma aussi étroit et haut que les stèles avec les jeunes athlètes. La représentation offre la mère et l'enfant, leurs têtes étant conservées sur le fragment. La face de la mère est très légèrement inclinée, son regard repose sur le petit visage de son fils, dont elle soutient la tête avec sa main gauche. Elle était manifestement figurée assise et tenait le garçonnet sur ses genoux. Son manteau enveloppe les deux personnages : il apparaît en peinture sur le fond du relief, entre la mère et le fils, avec l'ornement terminal de la bordure, des chevrons primitivement polychromes ; tendu à l'oblique, avec le bord sculpté, il réapparaît au dos de la main. Ainsi le groupe se trouve uni extérieurement par le vêtement, intérieurement par les liens de l'amour et du sang. Car ces derniers s'extériorisent dans le geste précautionneux par lequel les doigts finement déliés et la paume de la main soulèvent délicatement la tête puérile, elle-même inerte. Les paupières du garçonnet – à l'origine soulignées par un rehaut de couleur – sont closes, l'œil ne pouvant plus répondre au regard affectueux de la mère. Mais le sourire qui flotte autour des lèvres enfantines témoigne-t-il de la notion d'un absorbement dans un monde onirique plus heureux ou seulement de ce sentiment de ravissement propre, sinon à la totalité, du moins à un très grand nombre des créations de cette phase stylistique, précisément, de l'art archaïque ?

Il se pose aussi la question de savoir si des particularités de style du relief peuvent nous indiquer de quelle région grecque aura été

La mère et l'enfant. Fragment d'un relief funéraire, marbre. Vers 540 av. J.-C. *Hauteur : 38 cm.*
*Athènes, Musée National. Cf. page 139*

introduite cette composition de groupe si singulière, absolument isolée dans l'Athènes de l'époque. Nous ne sommes pas en mesure de répondre à cette interrogation. Bien que le profil du visage de l'enfant évoque l'une ou l'autre tête sur quelques-uns des très rares vases ioniens à figures noires, une création attique n'est pas exclue. La forme de l'oreille et le traitement technique de la chevelure crêpée, préparée pour recevoir la couleur, possèdent également des parallèles attiques. Il est donc parfaitement légitime, surtout après une comparaison avec les figures certes beaucoup plus petites des bases attiques à reliefs, de croire à un travail local. En tant que tel, ce relief, précurseur tout à fait isolé, introduirait la longue série de reliefs funéraires attiques avec des représentations familiales, qui, de 420 à 310 av. J.-C. en chiffres ronds, ont constitué le monument usuel sur les tombeaux athéniens. Par son contenu, un de ces reliefs funéraires ultérieurs, celui d'Ampharété, s'apparente de très près à notre fragment. Il s'agit en l'occurrence de la stèle signalant la sépulture d'une femme âgée et de l'enfant de sa fille. Une inscription nous renseigne quant à la signification intrinsèque du relief: «Ampharété. – Ici je tiens l'enfant chéri de ma fille que j'avais l'habitude de tenir sur mes genoux, alors que vivants nous regardions les rayons du soleil: disparue, je tiens à présent le disparu.» Le relief archaïque était-il également surmonté d'une inscription précisant les liens de parenté des deux personnages, leur destinée et leur mort? Car l'Attique voit à présent se généraliser des épitaphes un peu plus explicites, qui ne se bornent pas, comme la colonne funéraire de Xenvarès, à donner une information d'une brièveté laconique. A titre d'exemple nous donnerons l'épigramme de Phrasicleia: FIG. 32

Tombeau de Phrasicleia.
Je m'appellerai jeune fille
A jamais; car au lieu du mariage
La décision de dieu
M'a attribué ce nom.

Les épigrammes ne sont pas seulement par leur contenu, mais aussi par leurs formes d'écriture des témoignages pleinement valables sur l'histoire et sur l'histoire de l'art de leur époque. Nous pouvons ainsi *Formes d'écriture*

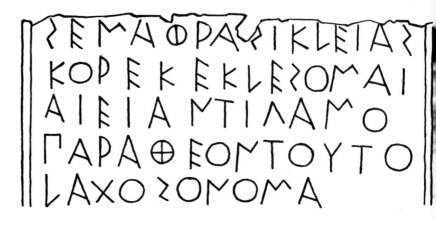

FIG. 32 – *Inscription du pilier funéraire de Phrasicleia, marbre, d'Attique. Vers 540 av. J.-C. Merenda (Panagia) (L. H. Jeffery, The Local Scripts of Archaic Greece pl. 3 No 29)*

suivre un développement allant des vieux signes graphiques pesants

FIG. 29 de l'inscription de Xenvarès – écrite dans des lettres se rapprochant le plus des corinthiennes –, puis des caractères un peu négligés et

FIG. 32 pas tout à fait assurés de l'inscription de Phrasicleia – en alphabet attique –, jusqu'à une base à inscription qu'un sculpteur samien a

FIG. 36 marquée de lettres samiennes pour un concitoyen insulaire décédé à Athènes au cours de l'avant-dernière décennie du VIe siècle.

*Inscription et ornement*   Les caractères d'écriture peuvent se concevoir – si on ne s'attache pas au contenu, mais à l'écriture proprement dite, au *ductus* – en tant qu'ornement. Ils ont été employés de la sorte principalement par les peintres de vases du temps. Certains céramographes en arriveront finalement à placer entre les figures des tableaux, comme «ornement de remplissage moderne», des suites de lettres dénuées de sens, donc dépourvues de contenu signifiant. Cependant, ces phénomènes démontrent en même temps que l'ornementique dispose maintenant d'un répertoire de motifs plus vaste qu'auparavant. Le contraste le plus clair est constitué par le mince répertoire de motifs de l'ornementique *géométrique*, avec ses quelques types de méandres, de cercles concentriques, de triangles, losanges et zig-zags. Certes, les motifs traditionnels des volutes, palmettes, lotus et feuilles continuent à former à présent aussi le réservoir dans lequel on vient principalement puiser. Mais il existe parallèlement des formes ornementales plus libres, provenant surtout du domaine végétal, fleurs et rinceaux. Il faut noter avant tout que le caractère de la représentation, dans toutes les catégories artistiques, s'infléchit de plus en plus vers l'ornemental. Cela est probablement la conséquence du manque en grandeur interne qu'accusent maintenant progressivement les représentations figurées et les créations de l'art en général. Ces réalisations penchent vers le «monde féerique» de l'archaïsme tardif. La découverte de domaines nouveaux est acquise au prix d'une perte de «poids». La valeur décorative des œuvres d'art se trouve en revanche accrue, plus particulièrement en ce qui concerne les créations des arts mineurs.

Il n'est pas étonnant, dans ces conditions, que pour la période allant approximativement de 540 av. J.-C. jusqu'à la fin de l'archaïsme, les arts mineurs soient au centre de notre intérêt. Au cours de cet espace de temps, les objets d'utilisation courante, les ustensiles de toutes sortes, les statuettes de bronze et de terre cuite, les vases figurés et d'autres, en argile ou en métal, sont aussi représentatifs, à titre de témoignages de l'histoire de l'art, que temple et statue. A présent ces objets peuvent d'ailleurs tirer profit de la perfection technique acquise par plusieurs générations de pratique dans l'artisanat d'art. De nouvelles possibilités techniques sont en outre inventées et donnent lieu à des expériences d'application. Il demeure cependant caractéristique de l'achèvement archaïque, même dans cette phase tardive, que la virtuosité technique, et encore moins l'expérience technique, ne devienne jamais un facteur déterminant du style: elle reste maintenant encore un moyen maîtrisé en vue d'une fin.

Le développement de la fonte de bronze est véritablement impétueux. Les fonderies les plus productives fonctionnaient comme toujours dans le Péloponnèse. Mais Athènes était également féconde. A Samos fut élaboré le nouveau procédé technique de la fonte en creux et furent tentés des essais avec des alliages variés. Des ateliers existaient aussi en Béotie, à Egine, à Naxos et probablement en d'autres lieux. Remarquables par leur qualité artistique sont les

ARTS MINEURS

*Fonte de bronze*

141

produits des cités coloniales de l'Italie du Sud et de Sicile. Des bronziers corinthiens ont manifestement créé des ateliers à Syracuse, des spartiates un atelier à Tarente, des fondeurs insulaires sont venus dans les colonies ioniennes et s'y sont établis.

Il n'est plus possible, aujourd'hui, de se représenter l'importance que revêtait à l'époque l'emploi de vases de métal. Pour l'utilisation domestique courante ils étaient de loin supérieurs à la céramique en raison de leur moindre frangibilité. Ils étaient toutefois plus chers que la poterie non peinte; en revanche, la céramique à décor peint était sans doute d'un prix beaucoup plus élevé que la simple vaisselle métallique. Cependant, les vases de métal artistiquement travaillés au repoussé et dotés d'ornements, ou qui présentaient des pièces rapportées de fonte, des anses plastiques et un pied ou anneau de base soigneusement décoré, étaient pour le moins aussi précieux que les vases de céramique offrant un décor peint de qualité. Alors que la poterie nous a au moins laissé un grand nombre de tessons, lesquels ne pouvaient pas être remployés, le métal a été fréquemment fondu au cours des longs espaces de temps couverts par la succession des cultures. Les quantités initiales ont par conséquent été décimées à un degré beaucoup plus élevé. Dans le cas des récipients métalliques, pots, chaudrons, bassins, cruches et coupes, qui, à un certain moment, parvinrent néanmoins à l'abri sous les couches de terre, les vases à parois minces, travaillés au repoussé, ont été tellement oxydés par l'humidité de la terre que les parois en tant que telles s'en sont trouvées totalement rongées, seules les parties massives, fondues – anses, embouchure, base annulaire, reliefs soudés – étant conservées. En dehors de ces parties, liées structurellement au vase, il existait parfois d'autres ajouts, qui – surtout dans le cas des précieux ex-voto – devaient encore augmenter la valeur de l'offrande. Ainsi, dès le VIIIe et le VIIe siècle on observe des statuettes qui soutenaient les anses de grands récipients, auxquels elles étaient fixées par des rivets; ou des bronzes comme poignée de couvercle; ou des segments placés en travers d'une partie de l'embouchure et sur lesquels étaient soudées des

PL. PAGE 143 figurines isolées ou multiples. Peut-être que le Centaure du Metropolitan Museum de New York provient également du rebord d'un

Centaure, bronze. Vers 540 av. J.-C. *Hauteur: 35 cm. New York, Metropolitan Museum. Cf. pages 142 et suiv.*

grand vase (cratère, hydrie, œnochoé etc.). A l'origine il pouvait aussi être une applique de meuble, c'est-à-dire d'un trône ou d'une *klinè*, ou encore un ornement plastique d'un coffre à revêtements de bronze. Se prononcer définitivement quant à sa destination semble donc impossible. Il est toutefois à peu près sûr qu'il se trouvait employé dans une certaine corrélation tectonique, sur un récipient ou un ustensile; il est très improbable que cette figurine ait primitivement constitué un petit ex-voto indépendant, et exclu que la statuette ait été placée dans une demeure privée à titre d'objet d'art décoratif: une telle utilisation ne sera attestée qu'avec le IVe siècle. En revanche, on pourra légitimement admettre que la statuette n'est pas non plus à concevoir d'une façon autonome dans ce sens qu'à l'homme-cheval, armé d'une branche d'arbre arrachée et se précipitant au galop, il faut attribuer un adversaire. Il faisait donc sans doute partie d'un groupe, composé de deux personnages au moins. Un tel groupe pourrait aussi s'expliquer comme une sorte de détail de la «Centauromachie thessalienne», motif mythologique alors en faveur sur des vases attiques et des reliefs de bronze cycladiques. Dans cette hypothèse il serait indiqué de voir dans notre figurine un adversaire de Caenée: la légende veut que ce héros invulnérable put uniquement être mis hors de combat par deux Centaures qui l'enterrèrent vivant en le frappant violemment avec des troncs de sapins. L'énergie décidée avec laquelle notre Centaure brandit son arme concorderait bien avec le thème particulier de ce groupe de combat. Comme époque de création nous sont proposées les années autour de 540 av. J.-C.; dans leurs formes, le visage et la poitrine ont encore conservé beaucoup de l'ancienne fermeté, la nouveauté offerte par la petite ronde-bosse étant dans le modelé plastique réussi du corps de cheval audacieusement animé. La facture est probablement péloponnésienne, peut-être argienne.

PL. PAGE 146 Un peu plus récente que le Centaure est une paire d'anses de bronze, consistant chacune en un anneau et un oiseau aquatique, lequel tient l'anneau avec la tête recourbée. Le corps d'oiseau – pour un canard le cou semble être trop long, mais pour un cygne presque un peu trop court – était fixé par trois rivets sur la paroi légèrement bombée d'un récipient ventru, sans doute d'une cuve. Quand on

144

compare ces oiseaux avec les formes compactes du canard de terre cuite du Musée de Berlin, on est tenté de parler de cygnes à propos des anses de bronze, pour ainsi faire justice à l'aspect gracieusement délié de chaque détail particulier du modelé de la tête et du plumage. Le vase auquel appartenaient ces bronzes aura pu être – et donc aussi les anses – d'origine attique.

De la même époque ou bien encore une fois un peu plus récent est le grand récipient de bronze qui fait partie du plus surprenant PL. PAGE 147 mobilier funéraire exhumé au cours de ces dernières années, le célèbre «trésor de Vix». Il s'agit du caveau sépulcral d'une princesse celtique, découvert dans la Côte-d'Or, près de la commune de Vix et à proximité immédiate du mont Lassois. Le mobilier funéraire mis au jour se trouve à présent au Musée de Châtillon-sur-Seine. Outre un char entier – de fabrication celtique régionale et composé d'un caisson porté sur quatre roues –, démonté pour la circonstance, la tombe contenait des pièces d'importation de provenance grecque. Une coupe à boire en céramique, offrant un décor peint avec une représentation de combat à figures noires, et quelques bassins de métal plus simples dépassent à peine le niveau moyen. Une autre coupe, exécutée en argent et dont le centre intérieur est recouvert d'une feuille d'or, assure déjà la transition vers les objets plus précieux de ce mobilier funéraire. Des fibules, qui servaient à attacher les vêtements, des colliers, des bracelets et des anneaux représentent les bijoux de la défunte. Une pièce unique est constituée par un lourd diadème d'or, qui se trouvait encore sur le crâne au moment de la découverte de la chambre sépulcrale. Le serre-tête se termine des deux côtés par une patte d'animal stylisée en ronde bosse, qui repose à son tour sur une boule régulièrement piriforme. A l'intérieur de la courbure, derrière chaque patte, l'orfèvre a ajouté un socle filigrané supportant la figurine d'un petit cheval ailé, d'un Pégase – le tout en or fin à 24 carats. Mais plus étonnant encore est le récipient de bronze géant avec deux anses enroulées en volutes dans leur partie supérieure – un cratère dit «à volutes» – et fermé par un couvercle perforé. Car le seul poids du métal utilisé atteint 208 kg et 600 g, et le cratère peut contenir pas moins de 1200 litres. Un récipient de bronze aussi colossal, ici préservé par les conditions

145

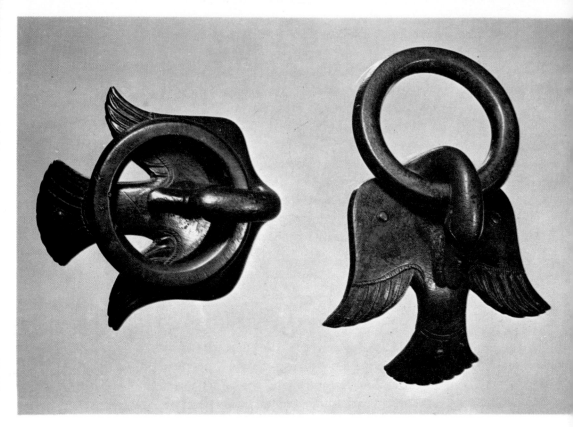

Anses de cuve en forme de cygnes, bronze. 540–530 av. J.-C. *Hauteur sans les anneaux : 6,8 cm. Cambridge, Fitzwilliams Museum. Cf. pages 144 et suiv.*

de conservation favorables qui régnaient dans le tumulus de Vix, n'était pas connu auparavant. Pour désigner la forme spécifique, le type de ce vase, l'Antiquité employait le terme de *krater lakonikos*, c'est-à-dire «cratère laconien». Les nombreux ornements, les reliefs d'applique au col du vase et sur les anses sont d'ailleurs exécutés en style laconien, mais dans une variante un peu plus tendre et différenciée, laquelle a été identifiée comme appartenant à une fonderie filiale de Grande Grèce à Tarente. Examinons de plus près PL. PAGE 147 l'une des appliques du col, un quadrige. Malgré la démesure du

Relief d'applique sur le col du cratère de Vix, bronze. Vers 530 av. J.-C. *Hauteur du vase: 1,64 m. Châtillon-sur-Seine. Cf. pages 146 et suiv.*

cratère, le travail du relief ne présente à aucun endroit un aspect de lourdeur ou de dureté. L'applique a été fondue au moule et ensuite rapportée à froid, sur toute sa surface, sans que subiste la moindre bavure ou couture. D'où la perfection de la facture, d'où le charme et l'immédiateté de l'impression, qui n'est nulle part dérangée par des traces visibles rappelant le processus technique de la fabrication. Les huit quadriges à conducteur casqué, qui forment une frise

147

courant sur le col du cratère, ne doivent sans doute pas être conçus comme une représentation d'un départ pour le combat, bien que chaque attelage soit suivi d'un fantassin pesamment armé. En fait, cette succession de chars et de guerriers évoque à un tel point les cortèges funèbres des vases géométriques qu'il semble légitime de songer en premier lieu, ici aussi, à la procession accompagnant de somptueuses funérailles. Cela impliquerait que le vase entier ait déjà été réalisé en vue de sa destination sépulcrale.

La qualité des reliefs sur le cratère de bronze de Vix est telle que, sous ce rapport, même une statuette de bronze d'une excellente facture conservée à Boston demeure quelque peu en retrait. L'attribution de cette figurine à un atelier de fondeurs de Sicyone est probablement justifiée: ce bronze s'apparente certainement plus, dans sa structure plastique, au Centaure de New York qu'aux quadriges de Vix. Il s'agit d'un Hermès criophore, donc d'un PL. PAGE 150 Hermès figuré comme dieu des troupeaux, portant un petit bélier. Le pétase et surtout les talonnières ailées caractérisent le dieu; à l'origine la dextre tenait manifestement de plus le caducée, le *kerukeion*. Le visage rappelle le plus par ses subdivisions et par son modelé celui du Centaure de New York, mais simultanément s'accuse aussi l'écart chronologique: l'Hermès est plus récent. Dans de telles statuettes de format réduit, travaillées avec minutie et précision, les bronziers du nord-est du Péloponnèse donnaient alors la pleine mesure de leur art. Une dizaine ou une vingtaine d'années plus tard, le maître le plus célèbre de la Sicyone de l'époque reçut une commande représentative loin de sa patrie: il était chargé de fondre l'effigie cultuelle pour le temple d'Apollon Philésios à Didyme. Il existe certes des échos de cette statue, qui était sans nul doute beaucoup plus grande que nature. Cependant, ce que nous pouvons en tirer dépasse à peine la constatation que l'effigie s'inspirait du type du *kouros*, lequel était uniquement enrichi dans ce sens que la main gauche tenait l'arc et la flèche, la droite – ce qui est étonnant – un cerf. Ces suggestions sur l'aspect de la statue, fournies par quelques petits bronzes et un relief de marbre d'époque impériale romaine, se trouvent corroborées par la description que Pline donne de l'Apollon Philésios de Canachos dans son «Histoire Naturelle»

(34, 75). Il est néanmoins évident que tous ces points de repère et toutes ces références ne nous révèlent pas grand-chose sur le style de cette effigie cultuelle.

En égard à cette situation, il est à peine exagéré de parler de miracle au sujet d'une trouvaille particulièrement heureuse de ces dernières années. Au Pirée, donc dans le port d'Athènes, pendant des travaux de voirie entrepris au cours de l'été 1959, les ouvriers se heurtèrent par hasard à plusieurs statues de bronze grecques, qui y avaient probablement été rassemblées au I<sup>er</sup> siècle av. J.-C. en vue d'un transport maritime vers l'Italie, mais avaient ensuite sombré dans l'oubli en raison de circonstances défavorables de l'époque, pour finalement être enfouies sous terre où elles devaient rester cachées jusqu'à nos jours. Parmi ces statues se trouve un Apollon nu, légèrement plus grand que nature, qui est d'un demi- PL. PAGE 151 siècle plus ancien que le célèbre «Aurige de Delphes» et constitue par conséquent le plus ancien grand bronze grec que nous possédions jusqu'à présent. Et un «original», non pas une copie d'époque romaine! Primitivement, cette statue tenait également l'arc dans la main gauche, mais dans la droite la phiale sacrificielle. Le motif est néanmoins analogue à celui de l'Apollon Philésios. L'effigie nouvellement découverte est toutefois à dater environ dix ans plus haut que l'œuvre maîtresse de Canachos. En revanche, le cercle géographique d'où sont issues les deux œuvres est sans doute le même: les cités voisines de Corinthe et Sicyone dans le nord-est du Péloponnèse. Nous sommes donc maintenant en mesure de nous faire une certaine idée du style de l'effigie de Canachos, peut-être un peu plus importante dans ses dimensions absolues et d'un aspect plus grandiose encore. Un degré indéniable de lourdeur dans les formes particulières, voire une mélancolie d'expression, trouve une explication, certes partielle seulement, dans des considérations techniques. Car au cours des premières décennies du développement de la fonte creuse de grand format, il a dû exister une parenté relativement étroite, dans le domaine technique et donc aussi dans le formel, entre le procédé de la fonte et la sculpture en bois. On avait déjà pu constater au sujet de l'Aurige de Delphes et de fragments d'autres grands bronzes anciens que le modèle pour fonte était

réalisé non pas en argile, mais en bois. De Canachos la tradition nous rapporte en outre que, s'il avait bien exécuté l'effigie du Philésios en bronze, il avait sculpté dans du bois de cèdre son autre œuvre majeure, l'Apollon Isménios à Thèbes. Par la forme dure du menton et des mâchoires, la coupe des paupières supérieures et surtout le rendu peu subdivisé, non ciselé des boucles de cheveux, la statue du Pirée rappelle en fait la technique de la sculpture en bois. Cette statue de bronze est toutefois pour nous d'une valeur inestimable, étant donné qu'elle constitue l'unique sculpture monumentale archaïque tardive du domaine péloponnésien conservée dans l'original. Pour les raisons que nous avons indiquées plus haut, les sculptures monumentales de l'archaïsme tardif sont plutôt rares. Pour ce qui est de l'Attique, nous sommes néanmoins relativement bien dotés par suite des trouvailles sur l'Acropole d'Athènes. Parmi ces témoignages, on relèvera la Corè plus grande que nature dédiée sur l'Acropole par le potier Néarchos et sculptée de la main

Hermès criophore, bronze. 530–520 av. J.-C. *Hauteur : 25 cm. Boston, Museum of Fine Arts. Cf. page 148*

Statue de bronze d'Apollon, partie. Vers 520 av. J.-C. *Hauteur : 1,92 m. Athènes, Musée National. Cf. pages 149 et suiv.*

d'Anténor, et le fronton gigantomachique du temple d'Athéna pisistratique; il s'y ajoute d'autres frontons de temples, tels que celui du temple d'Apollon à Delphes ou le tympan aux Amazones, pour le moins influencé par l'art attique, du temple d'Apollon Daphnéphoros à Erétrie; en outre des monuments funéraires, comme l'effigie de l'éphèbe Aristodicos, également dressée sur une tombe à proximité d'Anavyssos, trente ans après le Croïsos. En ce qui concerne le Péloponnèse, nous ne disposons cependant que de la seule et unique statue de l'Apollon du Pirée. Cette œuvre ne nous fait pas seulement saisir l'antécédent direct de l'art des célèbres sculpteurs péloponnésiens du passage de l'archaïsme au classique, tels que Canachos et Hagéladas, mais elle jette aussi une certaine lumière sur le centre d'art, précisément, qui, avec une structure plus dure, plus simple et plus lourde développée en pleine autonomie, endigue l'influence ionienne à Athènes, pour y exercer lui-même une influence avec les débuts du V^e siècle. Il s'agit enfin du germe d'où sortira également, après deux à trois générations, l'art de Polyclète.

PEINTURE DE VASES  Comme pour l'espace de temps archaïque dans son ensemble, la peinture de vases fournit aussi pour la phase de la maturité accomplie un matériel nombreux et, sous le rapport de l'évolution dans le cadre de l'histoire de l'art, sans solution de continuité; certes – et cette particularité a déjà été soulignée plus haut – uniquement pour Athènes. Le tableau de la poterie attique se trouve à présent déterminé par Exékias et Amasis.

L'activité de l'atelier en tant que catégorie, les traditions d'atelier, le passage d'un céramographe d'un atelier à l'autre, la rivalité entre les divers ateliers – voilà les données sociologiques dans le contexte desquelles s'accomplissent les chefs-d'œuvre de la céramique à figures noires et de la céramique à figures rouges pendant la floraison de ces techniques. Ces données en tant que telles sont sans doute déjà valables pour la période géométrique aussi. Mais à l'époque la division du travail au sein des membres d'un même atelier, c'est-à-dire la spécialisation, la séparation des peintres et des potiers, n'était probablement pas encore devenue usuelle. Une telle distinction nous est pour la première fois attestée par les signatures d'Ergotimos et de Clitias. Nous avons déjà mentionné le fait que, par la suite, Exékias et sans doute aussi Amasis peignirent de nouveau eux-mêmes les vases façonnés par leurs soins.

Mais représentons-nous d'abord la situation qu'Exékias et Amasis trouvèrent dans cette branche de l'art lorsqu'ils étaient eux-mêmes jeunes. Nous avons déjà appris à connaître le style de Clitias, dans ses créations d'une part un peu trop minutieusement subdivisées, un peu pédantes, mais d'autre part également grandioses. Dans le temps où Néarchos décorait son aryballe figurant un combat de PL. PAGE 115 grues et de Pygmées, Clitias a peint et aussi signé une tête de Gorgone sur un petit support, un ustensile, peut-être destiné à soutenir une fragile coupe à boire. Il est possible que les connaisseurs auraient ici reconnu le style de Clitias même sans la signature. Car le trait caractéristique et précisément cette manière très subdivisée, fine et analytique, mais aussi un peu pédante, sont très visibles dans ce tableau. D'une manière totalement différente témoigne un *gorgoneion*, certes peint au cours des mêmes années, mais par une PL. PAGE 155 autre main de céramographe, sur une assiette plate *(pinax)*. L'assiette n'est pas signée, mais le peintre se laisse déterminer par la comparaison stylistique. Il s'agit d'un contemporain plus jeune de Clitias, plus âgé d'Exékias, qui se nomme Lydos. Assurément, *Lydos* malgré les défenses grinçantes, malgré l'adjonction de la barbe, la sauvagerie démoniaque de la Gorgone, telle qu'elle apparaît au S.I. 18 fronton de Corcyre, est, chez Lydos aussi, nettement atténuée. Mais l'assiette démontre tout aussi clairement la capacité et la volonté consciente de Lydos de faire de la peinture à grandes figures. Car l'assiette aurait pu être décorée avec le même motif suivant un autre parti décoratif: le *gorgoneion* comme emblème central relativement petit, entouré d'une représentation en frise, cette dernière éventuellement divisée en plusieurs zones. De fait, il existe des assiettes répondant à ce type de décoration: deux exemplaires, peints de la main de Sophilos, sont conservés. Clitias, nous avons déjà pu l'observer, suit les brisées de Sophilos. Mais Lydos se refuse à emprunter le pas à Clitias. Cette trace se perd ainsi avant le milieu du siècle même, Lydos fondant avec quelques autres contemporains et confrères une tradition différente, dont la sollicitation se remarque aussi, par exemple, dans certains tableaux de Néarchos. L'un de ces contemporains de Lydos, sans doute pas Lydos lui-même, mais un peintre anonyme, qui a décoré une cuve dédiée sur l'Acropole avec des chars de guerre et une bataille de cavaliers, était peut-être le maître d'Exékias. Cependant, l'élève devait très vite surpasser le maître.

*Exékias* Trois particularités confèrent à Exékias un caractère unique au sein de l'ensemble de la peinture de vases grecque. Il a été le premier à saisir des représentations légendaires, donc des épisodes se développant dans le temps, une action, dans le moment fécond pour l'interprétation artistique et inséré chaque détail approprié à sa place ferme dans le cadre d'une délimitation quadrilatérale. Ainsi se trouvait créée la forme de représentation figurative occidentale, telle que nous la connaissons encore de nos jours. En second lieu, dans quelques-uns de ses tableaux il a donné à ce moment fécond une accentuation, une note tragique, au point que la narration ininterrompue reçoit une progression véritablement dramatique, témoignant d'un point culminant et d'une chute. Troisièmement, et là encore dans quelques-uns de ses tableaux seulement, il a atteint une concentration intérieure d'une force telle que ce n'est plus l'action extérieure qui détermine la représentation, mais l'événement au niveau de l'âme, lequel se trouve extériorisé par l'image. Les tableaux de vases de la période géométrique se réfèrent, dans la mesure où nous pouvons émettre un jugement certain à ce sujet, à des événements d'actualité. Nous avons pu le constater par des exemples tirés du domaine des représentations de combat et de guerre, de *prothésis*, de procession et de jeux funèbres. C'est uniquement avec l'ère de la colonisation, des relations commerciales intensifiées et de l'afflux de motifs orientaux dans les partis décoratifs de la peinture de vases grecque que vont s'attester sans équivoque des tableaux mythologiques. Il semble donc possible que le désir de telles représentations ait été également sollicité par le Proche-Orient. Au cours du VIIe siècle le nombre des tableaux légendaires augmente constamment dans les arts mineurs grecs, principalement sur les vases, mais aussi dans les incisions et les reliefs de l'art du métal, et supplante parfois complètement les représentations em-

Assiette de céramique du peintre Lydos. Avant le milieu du VIe siècle. *Munich, Antikensammlungen.*
*Cf. page 153*

pruntées au «quotidien». Nous avons vu que, parmi les thèmes, les grands cycles légendaires de l'*Iliade* et de l'*Odyssée* occupent une place privilégiée. Au sujet d'un grand nombre d'autres thèmes, nous pouvons admettre qu'ils ont trouvé, eux aussi, leur fixation poétique, sinon littéraire, avant d'apparaître dans l'art figuré. Maintes légendes n'auront probablement été retransmises que par la tradition orale d'une région délimitée. Pour les peintres de vases que nous connaissons plus ou moins en tant que personnalités et dont nous pouvons saisir le tempérament artistique, le choix des thèmes est déjà caractéristique. Cela est valable pour Sophilos et Clitias, pour Lydos et Néandros, mais surtout pour Exékias.

Sur la plus ancienne des amphores qui portent la signature de potier d'Exékias, la manière de son rendu est révélatrice au même titre que le choix du thème. L'une des faces montre le départ d'un guerrier, qui se tient à côté de l'aurige sur le char traîné par quatre chevaux. Le guerrier, identifié par l'inscription du nom comme étant Anchippos, ne se laisse pas intégrer dans l'un des cycles légendaires connus. Une singulière adjonction du peintre suggère cependant une issue fatale pour l'entreprise vers laquelle Anchippos va se hâter. Car entre lui-même et les chevaux est peint un oiseau androcéphale, une Sirène, volant au-dessus de l'attelage. Le démon de la mort apparaît ici manifestement comme mauvais présage.

L'autre face du même vase est décorée par la représentation du combat d'Héraklès et du géant Géryon à triple corps. Au milieu, entre les deux adversaires, est étendu le bouvier Eurytion, mourant. C'est pour la première fois avec Exékias que la technique des incisions à figures noires parvient à représenter des détails aussi infimes qu'ici le regard évanescent du berger.

Par de tels détails les tableaux d'Exékias sont, dès le début, comme traversés par un souffle tragique. Et Exékias est le seul céramographe qui, ayant atteint le plein épanouissement de ses capacités, choisisse avec prédilection la figure tragique d'Ajax comme héros de ses tableaux.

Exékias commence de prime abord par adapter le thème légendaire aux règles, inventées par lui-même, d'une stricte composition figurative, subordonnant par conséquent d'une façon consciente le contenu à l'élaboration artistique. Ce degré initial de son propre développement était toutefois déjà dépassé lorsqu'il créa l'amphore PL. PAGE 158 qui est maintenant conservée au Musée de Boulogne-sur-Mer. A l'instar de Néarchos, Exékias était potier en même temps que céramographe. Le corps du vase, trapu mais pas trop évasé en largeur, avec les anses vigoureuses et le rebord de l'embouchure qui souligne la terminaison vers le haut, correspond parfaitement à l'harmonie nourrie de l'effet chromatique du fond rougeâtre de l'argile et des surfaces couvertes de l'éclatant vernis noir. L'ornementation est parcimonieuse: sur le pied la simple couronne radiée, une frise de palmettes et de fleurs de lotus (anthémion) comme délimitation supérieure. Mais parcimonieux sont aussi les accessoires du tableau: à gauche un palmier, à droite les armes, au centre le petit monticule de terre et le glaive. Le parti le plus grandiose et simple, mais en même temps le plus audacieux en tant que conception artistique, est le rendu d'un épisode riche en contenu par le seul personnage du représentant de l'action: Ajax. Le héros, frappé de démence par Athéna, ne peut pas supporter sa honte quand la raison lui revient, ne peut pas continuer à vivre parmi les humains. Le palmier symbolise le site exotique et désert devant Troie, où il enfonce son épée à la verticale dans la terre, préparant son suicide. Tous les traits tragiques que Sophocle a condensés dans sa pièce se trouvent dans cette image imprégnée de fatalité. Pour l'observateur actuel non averti, il est à peine croyable que le tableau de vase ait été peint à une date antérieure à la représentation de la tragédie sophocléenne. Ce décor est pourtant d'une centaine d'années plus ancien que la pièce! Si le tableau d'Exékias fait l'effet d'une illustration des vers de Sophocle, la cause en est dans une parenté du sens artistique, dans une même profondeur d'expérience. Chez Sophocle, Ajax prétend qu'il veut enterrer son épée en un lieu écarté du rivage, afin qu'elle soit dissimulée aux yeux de tous:

> car du jour où je la reçus d'Hector,
> où j'eus en main ce don de mon pire ennemi,
> rien de bon ne me vint plus des Argiens...

Ajax préparant son suicide. Amphore pansue d'Exékias. Vers 540 av. J.-C. *Boulogne-sur-Mer. Cf. pages 157 et suiv.*

Et il l'enterre aussi. Mais il ne l'enfouit pas. Il l'enfonce à la verticale, la pointe tournée vers le haut, la lame dressée hors de terre. A présent prêt à se précipiter sur son glaive, il commence ainsi son dernier monologue dans la tragédie de Sophocle :

La lame sacrificielle est debout pour bien trancher,
autant qu'on ait loisir d'en faire le calcul.
Elle est un don d'Hector, le plus haï
de mes hôtes, le plus odieux à ma vue.
Elle est enfoncée dans cette hostile terre troyenne
et fraîchement aiguisée à la pierre ronge-fer.
Je l'ai enfoncée, je l'ai bien enterrée, moi,
pour qu'elle me soit propice et que je meure vite.
J'ai bien préparé tout. . .

*(Trad. Jean Grosjean)*

De cette atmosphère tragique s'entoure aussi la figure recroquevillée, musclée d'Ajax, qui paraît intensément concentrée sur son occupation. Les moyens d'expression de la peinture à figures noires ont reçu un tel développement de la part d'Exékias qu'il a pu figurer par des lignes incisées jusqu'aux lourds plis de contrariété sur le front du héros salaminien. Nous verrons plus loin que, dans des tableaux ultérieurs, Exékias épuise pleinement et sous tout rapport les possibilités de la technique à figures noires. Ce qui demeure caractéristique pour lui et pour son art, c'est que, parmi les formes de vases, il préfère dans ses œuvres plus récentes aussi, comme champ d'activité particulièrement approprié à son talent, la vigoureuse amphore dont les contours forment un jet continu de la panse à l'embouchure, l'amphore dite «pansue» ou «à tableau». Il a peint à diverses reprises le puissant Ajax portant le cadavre d'Achille hors du combat. Exékias présuppose chez le spectateur le savoir que le fils de Télamon ne possédera jamais les armes

◀ Dionysos et des Ménades. Amphore à col d'Amasis. Vers 540 av. J.-C. *Hauteur : 33 cm. Paris, Bibliothèque Nationale. Cf. pages 163 et suiv.*

d'Achille. Ce tableau accuse donc également une tension dramatique, renferme un conflit tragique.

Une telle affinité avec la tragédie ne se retrouve pas chez Amasis. Ses tableaux n'offrent pas la fermeté de composition d'Exékias. Ils produisent fréquemment l'effet de détails plus ou moins fortuits d'une longue frise. Amasis aime opposer deux personnages face à face ou encore placer une figure accentuée au centre d'un groupe à personnages multiples. Cependant, ses tableaux ne sont nullement des scènes d'action comme chez Exékias, et cela qu'il s'agisse d'un épisode extérieur ou d'un sujet psychologique, mais des scènes d'état. Celles-ci sont assurément plus animées quand la représentation a pour objet Dionysos et les membres de son thiase. Amasis a d'ailleurs une prédilection pour les thèmes bachiques. Mais outre Dionysos il représente aussi fréquemment d'autres dieux. Et ces dieux se situent dans un monde où la destinée des humains les préoccupe sans doute très peu. Cela aussi en contraste avec Exékias, qui s'attache spécialement aux combats et aux peines des héros légendaires, au sort tragique des hommes. Un vase à huile, un PL. PAGE 162 lécythe, récemment exhumé au cours de fouilles entreprises dans le Céramique d'Athènes, n'offre aucune signature. Dionysos y est représenté vêtu du chiton talaire, avec un manteau drapé autour des épaules; dans sa main gauche il tient son vase à boire spécifique, le canthare. Il est entouré de joyeux danseurs, dont l'un tient une outre de vin à moitié pleine sur l'épaule. Le style du dessin des personnages ainsi que la frise de boutons sous le col du lécythe sont si manifestement dus au pinceau d'Amasis que l'attribution de ce vase ne laisse subsister aucun doute.

Autant que nous le sachions, Amasis a uniquement signé en tant que potier. Huit de ces vases signés sont conservés, principalement des amphores à col détaché et épaule presque horizontale, les amphores dites «à col», et quatre cruches à embouchure trilobée, des œnochoés. Tous ces vases sont apparemment peints de la main d'un seul et même céramographe; que le potier ait lui-même peint ses vases, comme Exékias les siens, est possible, peut-être aussi probable, mais évidemment pas attesté épigraphiquement. Cependant, le peintre des huit vases s'est vu attribuer un nombre bien plus grand

Dionysos et des comastes. Lécythe d'Amasis. 550–540 av. J.-C. *Athènes, Musée du Céramique. Cf. page 161*

de récipients non signés en raison de la comparaison stylistique des décors figurés respectifs. Si nous admettons l'identité du peintre et du potier, Amasis aura aussi décoré des amphores pansues, des coupes, des vases à parfum, de petits ustensiles de terre cuite et des gobelets. Ses types de figures et la manière de sa composition semblent néanmoins convenir le mieux à la morphologie de l'amphore. Sur cette catégorie de vases, il mettait en œuvre le principe de composition de l'alignement, tel qu'il se manifeste le plus clairement, dans la plastique, dans le groupe statuaire du sculpteur Généléôs. Les scènes sont la plupart du temps plus mou- FIG. 17
vementées quand elles montrent Dionysos et les ébats des compa- PL. PAGE 162
gnons du dieu du vin, les Ménades et les Satyres. De tels tableaux témoignent parfois de l'esquisse d'une composition centralisante; mais ce ne sont jamais de véritables tableaux d'action. Cela s'observe le plus facilement avec son œuvre maîtresse, une amphore PL. PAGE 159
conservée à Paris, au Cabinet des Médailles, et présentant la signature d'Amasis. A gauche se tient Dionysos, long vêtu, son grand canthare dans la dextre, la gauche levée comme pour un salut. Devant lui deux Ménades, qui, étroitement enlacées, avancent au même rythme du pas de danse; l'une brandit une bête des bois, sans doute un lapin, qu'elle a saisie de sa droite par les oreilles. La coulée paisible des mouvements mesurés semble correspondre mer- veilleusement aux courbes douces du galbe du vase, mais encore plus à l'élan souplement élastique des grandes spirales de l'ornemen- tation d'anse, dessinées à main levée. Ce qui s'impose comme facteur décisif pour l'impression d'ensemble, c'est le caractère ornemental du vase. Les ornements soigneusement exécutés au-dessus du pied et sur le col contribuent évidemment de leur côté à cet effet général, de même que la frise de guerriers de l'épaule, articulée en combats singuliers. Comme pièce de céramique décorative, l'amphore d'Amasis occupe un rang supérieur. Sur l'amphore d'Exékias le plus grand poids revient à la pensée, au contenu de la représenta- tion. On s'est demandé si la nature équilibrée, sensible et ornemen- tale de l'art d'Amasis n'accuserait pas des traits ioniques, si Amasis ne serait pas un artiste ionien venu se fixer à Athènes. Comparons avec une amphore ionienne de forme analogue et à peu près con- S.I. 16

temporaine! La différence est d'abord dans la technique de peinture, qui n'applique pas les figures sur le fond de céramique, mais sur une couverte claire. Pour ce qui est de la représentation elle-même, l'écart se révèle également très grand entre les mouvements vifs de ces personnages, presque privés de pesanteur, et l'animation retenue des figures d'Amasis. Une certaine parenté se trouverait plutôt dans l'impression d'ensemble ornementale des deux vases. Ce qui distingue toutefois définitivement l'amphore d'Amasis de l'amphore ionienne avec la danse des joyeux buveurs, c'est cette claire précision des formes, qui caractérisait déjà l'art céramique attique à l'époque géométrique. Amasis dispose encore de cette part d'héritage, et à un degré non diminué.

La différence entre Amasis et Exékias dans la conception du contenu des tableaux s'affirme avec une évidence particulière dans l'importance qu'ils attachent respectivement aux éléments d'encadrement de la représentation figurée. Au palmier, qui définit le site sur PL. PAGE 158 l'amphore de Boulogne-sur-Mer, correspondent ainsi sur le côté droit les armes déposées par Ajax et appuyées contre le bord. Le palmier et les armes constituent les limites formelles du tableau, mais témoignent aussi par leur contenu du dialogue solitaire entre le monde des humains et le monde de la nature. Le casque, posé sur le rebord du bouclier, dirige sa vue aveugle sur la figure musclée du centre, qui est complètement absorbée par son activité. En revanche, les palmettes d'anse qui encadrent la représentation dionysiaque sur l'amphore d'Amasis à Paris offrent un caractère entièrement différent. Néanmoins, elles possèdent elles aussi une signification de contenu: elles font en sorte que la scène figurée apparaisse moins comme sujet de tableau, en la liant fermement au système ornemental superbement composé.

Les dieux d'Amasis que nous voyons se faire face avec des gestes économes, polis, distingués, soigneusement vêtus et frisés, paraissent souvent engagés dans une conversation mondaine. Les dieux homériques, auxquels, dans une félicité à jamais préservée des atteintes de l'âge, est échue une vie plus facile qu'aux mortels, ont connu leur sublime figuration dans les statues du sculpteur Praxitèle. Les personnages d'Amasis ne sont pas de moindres précurseurs du monde divin praxitélien. Cette tradition passe donc – avec, dans chaque cas, un intervalle de deux cents ans – d'Homère par Amasis jusqu'à Praxitèle.

Quand, partant de l'Attique, on veut avoir un aperçu de la peinture de vases de la seconde moitié du VIᵉ siècle dans les autres régions grecques, Amasis constitue une position de départ beaucoup plus favorable qu'Exékias. La disposition décorative des personnages d'Amasis dans les scènes de conversation des dieux sur l'Olympe, d'une «*sacra conversazione*», et la composition animée de ses scènes bachiques, de la «*conversazione profana*», sont relativement proches de tableaux de vases ioniens contemporains, tandis qu'Exékias n'offre rien de comparable sous ce rapport. Le plus important des ateliers de vases ioniens se trouvait à Chalcis en Eubée. Car les inscriptions de ces vases sont en alphabet chalcidien et à Chalcis même ont été exhumés des tessons de cette catégorie. Vus sous l'angle chronologique, les vases chalcidiens représentent une continuation de la céramique corinthienne. Leur première apparition est précisément attestée à l'époque où cessent les tableaux mythologiques de la phase de style dite du «corinthien moyen». Même la répartition des inscriptions sur les tableaux des céramographes chalcidiens et le *ductus* des caractères d'écriture rappellent très fortement l'épigraphie des vases corinthiens. Les produits les plus anciens de cet atelier chalcidien ont peut-être été créés un peu plus tôt encore que le milieu du VIᵉ siècle. Un vase à couvercle du Musée de Wurtzbourg, un cratère dit «à colonnettes», qui servait à mélanger l'eau et le vin et qui représentera ici cette catégorie en tant qu'exemple caractéristique, doit recevoir une date plus basse, étant à situer dans la décennie 540–530 av. J.-C. Notre planche montre le dos du vase. Il révèle la capacité des céramographes chalcidiens de représenter également des scènes vivement animées. Quand on compare les chevaux de ce cratère avec les bêtes au pas paisible de la tradition archaïque primitive, constamment répétées d'après le même type, on ne peut qu'applaudir le talent expressif qu'ils ont apporté au rendu de cette course hippique disputée au galop volant. Sur la face antérieure du même vase est peinte une scène pleine de sobre dignité, qui se déroule à la cour royale de

*Vases chalcidiens*

PL. PAGE 167

PL. PAGE 70

Troie. Hector y fait ses adieux à sa femme; Pâris et Hélène sont également présents. L'indication épigraphique des noms des divers personnages prouve nettement que ce décor devait constituer un tableau de la légende héroïque. En revanche, pour ce qui est de l'interprétation du tableau figurant au dos du vase, l'explication qui en fait une scène extraite de la vie quotidienne mérite sans doute la préférence sur celle qui y verrait un épisode mythologique.

Nous l'avons déjà dit: en comparaison avec l'atelier chalcidien, les potiers et les céramographes des autres régions ioniennes ne peuvent guère offrir de succession continue de créations de bonne qualité. Cependant, les réalisations maîtresses qui apparaissent ici aussi, spontanément et avec une extraordinaire rareté, au cours de la seconde moitié du VIᵉ siècle, sont encore plus surprenantes. On remarque avant tout une catégorie de coupes à boire, née à Samos et décorée suivant une excellente technique à figures noires. La finesse du dessin incisé de leurs représentations ne possède rien de comparable dans l'ensemble de la peinture de vases grecque. Egalement à Samos, mais aussi à Rhodes, la grande île méridionale colonisée par les Doriens, ont été créés quelques vases d'une qualité vraiment supérieure, pièces qui préfèrent cependant la technique ionienne du décor réservé et n'abordent qu'avec hésitation la technique des incisions à figures noires. Cette catégorie de vases a été appelée céramique «de Fikellura», du nom du premier lieu de trouvaille. Comme forme, les potiers de la céramique de Fikellura choisissent de préférence l'amphore à col. Dans la mesure du possible, les peintres retiennent les motifs à effet décoratif. Maints vases sont entièrement couverts d'un décor de losanges en pointillé. Toutefois, même les vases dont la décoration principale est un tableau figuré font apparaître en outre sur le corps du récipient un grand nombre d'ornements d'anse et de zone.

L'exemple représentatif de cette catégorie est une amphore du Musée d'Altenbourg, sur laquelle figure un groupe de joyeux banqueteurs, entraînés dans la ronde animée d'une danse. L'histoire de ce thème se déroule au VIᵉ siècle. Il a deux racines: l'une dans la mythologie, l'autre dans la vie quotidienne. Avec l'apparition des Silènes dans la peinture de vases grecque, cela dans les tableaux de

*«Petits maîtres» ioniens*

*Vases de Fikellura*

s.i. 16

166

Course hippique. Tableau du dos d'un cratère à couvercle chalcidien. Troisième quart du VIᵉ siècle av. J.-C. *Hauteur du vase: 42 cm. Wurtzbourg, Musée Martin von Wagner.* Cf. page 165.

Sophilos, la représentation des ébats extatiques des compagnons de Dionysos dans le thiase bachique était devenue un thème favori; au thiase participent des Silènes et des Ménades, Dionysos n'étant pas toujours présent lui-même. Le thiase est l'une des racines de la joyeuse troupe de buveurs humains, du *kômos*; les Silènes annoncent les comastes. L'autre est constituée par les images de banquet, dont les participants sont couchés sur des lits de repos et célèbrent le *sumposion*. De même que de tels festins peuvent donner lieu, dans la réalité, à des cortèges de buveurs éméchés parcourant les rues et les places de la ville, ainsi, à partir des *images* de banquets et des rondes dionysiaques des Silènes et des Ménades, se sont développés les types iconographiques des convives donnant libre cours à leur joyeuse humeur. Quelques peintres attiques, contemporains de Sophilos, en fournissent les premiers exemples. Pour cette raison, Sir John Beazley leur a réservé le terme générique révélateur de *peintres des comastes*. Sur un groupe de vases attiques un peu plus récent, offrant un décor peint divisé en zones figurées, les amphores dites «tyrrhéniennes», on peut ensuite aisément observer le passage des représentations du thiase des Silènes et Ménades aux représentations de comastes humains.

Cette évolution des types iconographiques est la condition préalable de la frise des comastes de l'amphore de Fikellura d'Altenbourg. Il est sans doute légitime d'affirmer qu'aucun peintre plus ancien n'a su représenter la joyeuse insouciance des buveurs éméchés d'une façon aussi congéniale que précisément ce céramographe. Aucun ne s'éloigne autant que lui de l'*èthos* héroïque et des tableaux mythologiques des Corinthiens, des Chalcidiens, d'Exékias.

*Période moyenne d'Exékias*

Mais Exékias n'a pas non plus peint les seules peines des héros. Même Dionysos, le personnage préféré parmi les dieux d'Amasis, a trouvé sa figuration la plus féerique chez Exékias. Son aspect se révèle certes totalement différent de celui qu'il revêt chez Amasis,

PL. PAGE 170

et l'idée même du tableau est autre. Peint à l'intérieur de la vasque circulaire d'une coupe environ dix ans après l'amphore d'Ajax et l'amphore des Ménades, le tableau est encore plus fortement imprégné d'un sentiment paysagiste que le tableau ajacien de l'amphore de Boulogne-sur-Mer. Poussée par la voile gonflée, entourée de dauphins, une nef se balance doucement sur la mer. Plus grand que nature, le dieu du vin est allongé sur le bateau. Des vignes, également plus grandes que nature, poussent et s'épanouissent en hauteur derrière le mât; leurs branches chargées de lourdes grappes surplombent la vergue. Dans la dextre, le dieu tient un rhyton. Nulle main ne dirige le gouvernail, mais la proue de la nef trouve sûrement sa voie à travers les flots. Une épiphanie méridienne de Dionysos en haute mer.

Dans la composition du tableau, les contrastes de couleurs jouent un grand rôle. De l'ancienne blancheur éclatante de la voile ne subsistent toutefois que quelques restes. Malheureusement, le visage n'est pas non plus conservé dans son dessin original. Les reproductions plus anciennes montrent à cet endroit un ajout peint moderne, les photographies récentes uniquement le plâtre fin des réparations, assimilé par la coloration à la teinte rougeâtre de l'argile. Il est en tout cas certain que ce tableau, en dépit de la maîtrise de l'insertion de sa représentation dans le cadre rond de la lèvre du vase, peinte intérieurement en noir, n'est pas tellement le rendu d'une action extérieure, mais plutôt celui d'une concentration intérieure. De cette même faculté de concentration intérieure d'Exékias témoigne une autre œuvre, de peu plus récente, cette fois-ci de nouveau une amphore. L'une des deux figures, celle de droite, est ici encore – PL. PAGE 171 suivant l'inscription – Ajax, celle de gauche étant Achille. Une certaine analogie avec la représentation ajacienne plus ancienne s'accuse aussi dans la délimitation du tableau en direction du cadre: à gauche est appuyé le bouclier d'Achille, à droite se trouvent posés casque et bouclier d'Ajax. Mais ici la vue aveugle du casque n'est pas dirigée vers le centre du tableau, puisque étant tournée vers la paroi de la tente. Car la scène se passe manifestement dans une tente du camp des Grecs sous les murs de Troie. Assis face à face, les deux héros – pour parer à toute attaque soudaine de l'ennemi, ils ont gardé la lance à la main – jouent aux dés. Cependant, ils sont à un tel point absorbés par le jeu, qu'ils accompagnent de brèves exclamations, que le danger éventuel les laisse indifférents. En fait, chacun des deux est à présent concentré avec force sur le désir de gagner la partie.

Dionysos en haute mer. Tableau intérieur d'une coupe d'Exékias. Vers 530 av. J.-C. *Munich, Antiken-sammlungen. Cf. pages 168 et suiv.*

Achille et Ajax jouant aux dés. Amphore pansue d'Exékias. Vers 530 av. J.-C.
*Hauteur: 61 cm. Musée du Vatican. Cf. pages 169 et 172*

Par de telles créations, Exékias se révèle un maître du «tableau d'ambiance», du *Stimmungsbild*, genre dont toute l'histoire de l'art de l'Antiquité ne connaîtra aucun autre exemple, ni avant ni après lui. Cela est valable autant pour le tableau avec Achille et Ajax que pour la représentation au dos de son amphore du Vatican. Il s'agit d'un «tableau d'ambiance dans le cercle familial»; la scène qui nous est présentée pourrait s'imaginer dans la cour de la maison d'habitation d'un bourgeois attique aisé. Les personnages sont ici plus fortement démythifiés que sur le tableau des joueurs de dés. Nous sommes néanmoins en présence – comme les inscriptions nous l'apprennent – des Dioscures, c'est-à-dire de Castor et Pollux, et de leurs parents, Léda et Tyndare. Cependant, l'atmosphère n'est pas héroïque, mais plutôt intimiste. L'effet le plus impressionnant de la représentation se trouve aux deux endroits qui associent en toute simplicité l'homme et l'animal: on parlerait presque d'une communion de l'âme. Ainsi, d'un geste empreint de douceur, Tyndare flatte la tête d'un cheval; ainsi encore Pollux, qui se baisse, joue avec un chien qui sautille joyeusement à ses pieds.

*L'art à l'époque des fils de Pisistrate* Peut-être qu'Athènes connaissait dès alors – assurément par des exemples d'abord isolés – le passage dans la peinture de vases, qui inverse ses valeurs, de la technique à figures noires à la technique à figures rouges, laquelle apparaît sans doute pour la première fois vers 530 av. J.-C. On a en tout cas l'impression, devant la technique extrêmement fine du stylet à incisions visible sur les manteaux et les armes des héros joueurs de dés, que le peintre voulait s'affirmer avec tous les moyens de son art face à la nouvelle technique qui s'introduit alors et qui peint les lignes sur le fond d'argile à l'aide du pinceau ·fin ou de la petite brosse. Les plus anciens tableaux de vases à figures rouges ont été comparés à juste PL. PAGE 174 titre aux scènes de combat de la frise du Trésor des Siphniens à Delphes, construit peu avant 524 av. J.-C. Dans le domaine de la PLASTIQUE S.I. 17 ronde-bosse, une mise en parallèle de la Léda du tableau des Dioscures d'Exékias avec une *korè* de marbre de l'Acropole a donné la même date. Pour cette raison, la figure en question est aussi appelée «Corè d'Exékias».

La statue de jeune fille, conservée dans toute sa hauteur, est moins grande que nature. Des autres Corès de l'archaïsme tardif elle se distingue principalement par le costume. Certes, elle est également vêtue du chiton, mais celui-ci n'apparaît qu'aux coudes et au-dessus des pieds, étant couvert partout ailleurs par le péplos porté par-dessus. Cette disposition du costume fait à peine naître de plicature, la figure prenant un aspect compact, xoanisant. La plupart des autres Corès portent comme vêtement principal un chiton finement plissé, avec par-dessus un himation drapé de biais, lequel est infibulé sur l'épaule droite et donne également naissance à une riche plicature. Nous avons déjà vu que ce type de *korè* provenait d'Ionie orientale, et nous pouvons à présent préciser que ce type de vête-ment représente aussi un costume ionien. Le caractère rythmique conféré à la surface par la plicature se trouve en outre accentué, comme de tous temps en Ionie, par le geste de la main, qui saisit la draperie et la relève légèrement au-dessus du poignet. C'est presque toujours la main droite qui l'accomplit. Ainsi, jusque dans les années trente du VIe siècle, les Corès plus anciennes relèvent leur draperie avec la dextre. Cependant, lorsque la main tient une bête, un oiseau, ou un fruit, cela constitue le geste principal, et il est exécuté avec la main droite; dans ce cas, le geste de relever la draperie devient secondaire et s'accomplit par conséquent avec la main gauche. Ce type de mouvement est usuel au cours des der-nières décennies du VIe siècle. Mais la Corè d'Exékias ne relève son vêtement en aucune manière. Dans la dextre baissée elle tenait à l'origine un objet métallique rapporté, probablement une couronne, tandis qu'elle avançait la gauche en angle droit, primitivement avec un objet. Comme toujours en pareil cas, l'avant-bras gauche, aujourd'hui presque complètement perdu, avait été exécuté à part. A l'origine, ce bras tendu en avant contribuait sans doute très puis-samment à l'aspect plastique de la statue. Primitivement, les formes simples de la figure recevaient des accents plus vigoureux d'un autre élément encore, à savoir de la polychromie. Des traces de couleur relativement nettes apparaissent de nos jours sur les yeux et la bouche, sur les boucles de cheveux, sur le bord de la draperie et aussi comme motifs décoratifs semés sur le vêtement. A ces vestiges de couleur la statue doit en partie l'impression de vie qu'elle dégage.

Héra et Athéna participant à la Gigantomachie. De la frise du Trésor des Siphniens, marbre. Avant 524 av. J.-C. *Hauteur: 63 cm. Delphes, Musée. Cf. pages 174 et page 176*

Il faut néanmoins observer que celle-ci est principalement due à l'expression directe du visage, empreint de vitalité, aux «traits parlants» de la face.

L'hypothèse a été émise selon laquelle le nom du créateur de la Corè d'Exékias serait connu, et que le même sculpteur attique, du nom d'Endoïos, aurait aussi traité les frises nord et est du Trésor des Siphniens à Delphes. Les indices avancés ne suffisent certes pas à étayer cette thèse, mais elle n'est nullement exclue. Le Trésor des Siphniens et la Corè sont en tout cas virtuellement contemporains. Le décor sculpté du Trésor est manifestement dû à deux ateliers de sculpture différents. Le fronton, les frises sud et ouest trahissent

*Delphes*

Lion du char de Cybèle attaquant un Géant. De la frise du Trésor des Siphniens, marbre. Avant 524 av. J.-C. *Hauteur: 63 cm. Delphes, Musée. Cf. page 176*

clairement l'esprit «est-ionien», alors que la conception et l'exécu-
PL. PAGE 174 tion de la frise au nord et à l'est font plutôt penser à un maître
plus occidental, peut-être précisément un Athénien. Les scènes les
plus animées se trouvent au nord. Leur thème est le combat des
Dieux contre les Géants. Avec une rare virtuosité, le sculpteur a su
construire ses personnages en profondeur, sur plusieurs plans superposés. Il ne craint pas la perspective en éventail, avec les plans qui
s'y entrecroisent; ce parti lui permet au contraire d'exprimer avec
force le tumulte de cette impressionnante Gigantomachie. Ainsi,
Athéna fonce sur un Géant qui s'effondre. Ainsi, entraînée par son
élan irrésistible, l'épouse de Zeus s'acharne contre des adversaires
déjà abattus. Plus impitoyable encore, plus ardente est la lutte, là
où interviennent des bêtes féroces. Le char de Cybèle est tiré par
des lions. Mais ces fauves ne sont pas uniquement des animaux de
PL. PAGE 175 trait. Ils attaquent un Géant, dont la tête coiffée du casque corinthien se trouve rendue de trois quarts. Il va être déchiqueté par
l'une des puissantes bêtes, qui l'a mordu au flanc. Les personnages
de la frise se superposent avec plus ou moins de densité au gré des
péripéties du combat. Sur l'un des boucliers ronds des Géants le
maître avait laissé sa signature. Le verbe, un adverbe et l'ethnique
sont conservés, mais le nom propre fait malheureusement défaut.
Grâce à une relation d'Hérodote (3, 57), nous connaissons la date
exacte de l'édification du Trésor. Enrichis par le produit de leurs
mines d'or, les habitants de la petite île de Siphnos avaient dédié à
Delphes leur luxueux Trésor. A cette occasion, ils interrogèrent
l'oracle de Delphes pour savoir de quelle durée allait être leur
richesse. La réponse énigmatique qui leur fut donnée les laissa
d'abord perplexes. Hérodote nous livre ces précisions en corrélation
avec des événements qui se déroulèrent lors de la préparation de la
campagne militaire de Cambyse II de Perse contre l'Egypte. Etant
donné que cette expédition eut lieu en 524 av. J.-C., la construction
du Trésor a dû se faire antérieurement à cette date. Les Siphniens
n'ont pas épargné les moyens pour la réalisation de cet édifice.
Leur générosité n'apparaît pas dans de grandes dimensions, mais
dans l'exécution précise et bien proportionnée de tous les détails, et
principalement dans le fait que, pour le moins en ce qui concerne

les reliefs de frise des faces nord et est, ils se soient assurés le concours d'un sculpteur remarquable et manifestement célèbre à l'époque. Le Trésor, implanté sur une terrasse, constitue pour nous un exemple parfait de l'aspect que l'archaïsme tardif confère à la construction de marbre monumentale, qui n'est pas un temple, donc pas un édifice sacré proprement dit, mais un édifice public de prestige.

La différence principale avec le temple de forme canonique réside dans l'absence d'une colonnade pourtournante, d'un péristyle. Le FIG. 33 plan est celui d'une «maison à antes» *(«in antis»)* : le vestibule se trouve délimité de part et d'autre par des prolongements des murs latéraux, entre lesquels se placent deux supports. En comparaison avec celui d'une cella de temple, ce schéma est toutefois beaucoup plus ramassé. Le Trésor des Siphniens remplace par le nombre d'or FIG. 34 le rapport de 1:2 qu'entretiennent la largeur du vestibule et la longueur de la cella dans le cas des proportions idéales vers lesquelles tend le temple pleinement développé, qu'il soit d'ordre ionique ou d'ordre dorique. Ce type d'architecture relativement simple est en outre rendu dans une version plus riche grâce aux supports qui se dressent entre les antes, et qui ne sont ni des colonnes ni des piliers, mais des statues de *korai* conçues dans une fonction

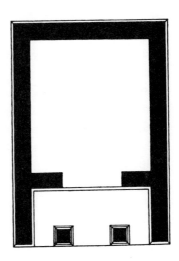

FIG. 33 – *Delphes, Trésor des Siphniens. Vers 525 av. J.-C. (P. de La Coste-Messelière, Au Musée de Delphes, 487 ill. 20)*

FIG. 34 – *Delphes, Trésor des Siphniens, reconstitution (P. de La Coste-Messelière, Au Musée de Delphes, 283 ill. 13)*

tectonique, c'est-à-dire des Caryatides. Il est assurément compréhensible qu'en raison du point d'appui chronologique que nous possédons avec le Trésor de Siphnos, ces Caryatides soient extrêmement précieuses pour la datation des Corès de l'Acropole, même si elles n'appartiennent pas à ces parties du décor plastique du Trésor pour lesquelles on peut envisager une attribution à des sculpteurs attiques.

Dans le même sanctuaire, le renouvellement du temple principal était prévu depuis le milieu du VIe siècle. A la réalisation de ce projet venaient apparemment s'opposer sans cesse de nouvelles difficultés; l'obstacle majeur était le manque d'argent, bien que

Mur de soutènement de la terrasse du temple d'Apollon à Delphes. Troisième quart du VIᵉ siècle av. J.-C. *Cf. ci-dessous et page 180*

des contributions financières fussent accordées par de nombreuses cités et par de nombreux pays, certains même lointains. On commença néanmoins les travaux préparatoires. Parmi ceux-ci comptait le raffermissement architectural de la grande terrasse sur laquelle devait être érigé le temple. Nous devons à cette intention le plus beau mur polygonal qui nous soit conservé. Utilisé pour les PL. CI-DESSUS murailles des citadelles argiennes de l'époque mycénienne, l'appareil polygonal (cyclopéen) devait garantir la stabilité des énormes blocs de pierre superposés à d'impressionnantes hauteurs, et on peut certainement prêter le même dessein aux constructeurs des murs polygonaux du IIe millénaire av. J.-C., qui se trouvent sur l'Acropole d'Athènes. Sans nul doute, ce souci de solidité avait également présidé à l'érection du mur de soutènement (en appareil polygonal à angles mousses) de la terrasse du temple d'Apollon à Delphes. Cependant, les éléments constitutifs de la muraille, ici non pas de gigantesques fragments de roche calcaire, mais des blocs de marbre précieux, sont plus petits et taillés au ciseau d'une façon véritablement élégante. Certes, il n'était pas possible, dans cette technique, d'assembler les moellons avec cette perfection jointive des assises réglées de l'appareil isodome (hellénique) des édifices périclééns en pierre de taille de l'Acropole. Mais l'ornement qui naît des joints sinueux et qui offre une analogie éloignée avec le motif formé par les cellules d'un rayon de cire d'abeilles, tout en étant précisément beaucoup plus irrégulier et donc d'un effet rythmique plus prononcé, porte à son ultime conséquence une technique architectonique d'une presque incroyable complexité. Le visiteur du sanctuaire, qui longe ce mur de soutènement, se trouve ainsi préparé à la découverte d'une œuvre d'architecture plus grandiose encore, laquelle l'attend au sommet de la terrasse : le temple.

Nous avons néanmoins l'impression que cet édifice ne combla pas toutes les espérances qui avaient été ainsi suscitées. Il avait certes fallu attendre longtemps avant que la construction du temple ne fût pas seulement préparée, mais aussi réellement entreprise. En fait, la réalisation du projet ne se fit qu'au cours de l'avant-dernière décennie du VIe siècle, quand le *genos* des Alcméonides, alors exilé d'Athènes par les tyrans, rechercha, par un soutien actif accordé au renouvellement du sanctuaire d'Apollon à Delphes, manifestement avec une nette volonté de propagande, un retour à Athènes et une nouvelle influence sur l'histoire politique de la ville. De ce qu'ils ont obtenu à Delphes ne subsistent que quelques fragments, dont la conservation a été due au hasard. Seuls l'agrandissement et la monumentalisation que subit le sanctuaire dans son ensemble, après un incendie qui eut lieu en 548 av. J.-C., demeurèrent définitifs. Sous le rapport de l'histoire des religions, le fait particulièrement marquant fut, en corrélation avec le nouvel aménagement du site, la destruction partielle de vénérables sanctuaires dont la tradition remontait loin dans le passé. Ainsi, la partie supérieure du téménos de la déesse Terre (Gè) disparut sous les remblais du mur de soutènement polygonal, qui recouvrit aussi d'anciens Trésors. Les monuments détruits trouvèrent évidemment une compensation au sein du nouveau plan architectural, et les lieux-saints anciens furent intégrés dans le temple d'Apollon, qui domina alors PL. PAGE 182 seulement tous les cultes primordiaux. En plus de l'implantation dans le paysage héroïque de la vallée du Pleistos, en contre-bas des roches abruptes et à proximité de la fontaine Castalie, la situation topographique du sanctuaire – les murs du péribole, le mur de soutènement de la terrasse du temple, l'étendue et les fondements du temple – est par conséquent demeurée inchangée depuis la fin du VIᵉ siècle. Le temple lui-même fut toutefois totalement reconstruit au IVᵉ siècle et du décor plastique de l'édifice archaïque ne subsistent que quelques sculptures tympanales, cela autant du fronton antérieur, exécuté en marbre, que du fronton postérieur, en tuf. Cela est important parce que ces restes plastiques nous prouvent que les bâtisseurs, à savoir les Alcméonides, avaient confié la décoration des frontons à un sculpteur attique. Anténor, qui nous est connu par des signatures conservées et en tant que maître de l'une des statues de *korai* de l'Acropole, et que la jeune démocratie athé- *Athènes* nienne allait encore honorer de commandes officielles, a également réalisé ces sculptures tympanales, avec le concours de ses collaborateurs. Il semble que les bâtisseurs du temple aient eu l'intention de surpasser le temple d'Athéna sur l'Acropole, reconstruit peu de temps auparavant par les Pisistratides. Par le seul choix du thème du fronton ouest ils se réfèrent nettement au nouvel édifice athénien: il s'agit dans les deux cas d'une Gigantomachie. Vraisemblablement, la composition des figures au fronton offrait aussi une certaine analogie dans ce sens qu'une césure se trouvait ici et là exactement au milieu du tympan: elle resta vide, et les conducteurs des dieux à la bataille, Zeus et Athéna, combattaient à partir de cet emplacement, dos à dos, tournés vers les angles du fronton. Le tympan oriental, en revanche, constitue l'exemple le plus ancien de l'épiphanie d'une divinité dans un fronton. Dans ce cas particulier il

Delphes, sanctuaire d'Apollon. *Cf. pages 181*

s'agit d'ailleurs du dieu titulaire même du temple, c'est-à-dire d'Apollon, apparaissant ici au centre, vu de front sur un char. Ainsi, l'«image mythique», qui avait déjà été révélée par le fronton de la Gorgone à Corcyre, est reprise, mais dotée d'un sens nouveau, lequel annonce les représentations d'épiphanies de l'art classique, les figures de Zeus et d'Apollon dans les frontons du temple de Zeus à Olympie et la naissance d'Athéna dans le fronton est du Parthénon. Néanmoins, il semble bien que les restes conservés trahissent une certaine sécheresse. La force créatrice ne paraît pas être tout à fait capable de remplir les grandes dimensions d'une manière véritablement judicieuse. Dans l'exécution de détail, des compositions tympanales plus anciennes, comme celle du temple de Corcyre ou les deux versions du décor plastique du temple archaïque d'Athéna sur PL. PAGE 94 l'Acropole, sont même plus grandioses, plus géniales. Cette déficience est probablement en rapport avec le phénomène que nous avons déjà caractérisé plus haut, à savoir que l'archaïsme tardif s'accompagne visiblement d'une décroissance des forces monumentales, d'un manque de grandeur intérieure des représentations figurées. Compte tenu de la pauvreté du matériel archéologique disponible, il n'est pas encore possible d'affirmer dans quelle mesure cette déficience affectait aussi le temple d'Apollon Daphnéphoros à Erétrie en Eubée, avec le fronton sur lequel figurait l'enlèvement *Erétrie* de l'Amazone Antiopé par le héros attique Thésée. Il faut espérer que les nouvelles fouilles entreprises sur l'initiative conjointe des chercheurs grecs et suisses aboutissent à un enrichissement des documents architecturaux et plastiques, afin de permettre une meilleure appréciation de l'ensemble de l'édifice. Avec le temple d'Athéna sur l'Acropole et le temple d'Apollon à Delphes, il est en tout cas la troisième grande réalisation architecturale de l'archaïsme tardif, qui fut achevée – sinon même directement par des Athéniens – sous une forte influence attique.

Le temple d'Athéna à Paestum nous conduit dans une sphère PL. PAGE 186 géographique et artistique totalement différente. Par le seul fait de rester loin en-deçà des dimensions du temple d'Héra, également *Grande Grèce* édifié à Paestum environ une génération plus tôt, le constructeur reconnaît peut-être implicitement l'inaptitude de cette époque tardive à la création dans des formes puissantes, énormes. Pour la conception du plan et pour l'aspect de cet édifice, conservé avec bonheur d'une façon satisfaisante, il a attaché le plus d'importance à l'accord parfait des diverses parties et au traitement approfondi de chaque forme de détail. Le résultat a été que les formes architecturales «ne témoignent d'aucune violence d'expression ni d'aucune dureté dans l'apparence des corps plastiques». Elles sont privées de monumentalité, mais sont en revanche délicates et gracieuses. Dans le domaine de l'architecture elles correspondent sans doute le mieux à cette tendance que nous avons aussi observée dans les autres catégories d'art vers la fin du VIe siècle et désignée comme une perte en «pesanteur» et un gain en ornementation. Pour cette raison, elles correspondent aussi le mieux, dans leur domaine, aux réalisations des arts mineurs, pleines de sensibilité et d'une grande virtuosité d'élaboration, dans lesquelles le «monde féerique» de l'archaïsme tardif trouve son expression adéquate. Qu'une telle esthétique puisse à présent se manifester aussi parfaitement dans une œuvre d'architecture tient partiellement à l'aire géographique dans laquelle la création a été réalisée. Dès l'origine, les Grecs fixés sur le sol colonial italique ont parlé un idiome plus suave que celui de la Grèce propre. La richesse et l'hédonisme, mais aussi la splendeur et la grâce de la création artistique sont caractéristiques des villes grecques en terre d'Italie et de Sicile. C'est là leur contribution au tableau d'ensemble de la nation hellénique et de l'art grec, apport que l'on ne voudrait voir manquer en aucun cas à ce tableau.

Construit vers 510 av. J.-C., le temple est aussi l'exemple le plus ancien du mélange, mieux: de la synthèse harmonieuse des ordres d'architecture dorique et ionique. Certaines particularités de l'aménagement du plan et de l'entablement, qui distinguent habituellement les seuls édifices d'ordre ionique, apparaissent ici dans une œuvre d'architecture essentiellement – et en premier lieu dans l'aspect extérieur du péristyle – dorique. Mais il faut surtout

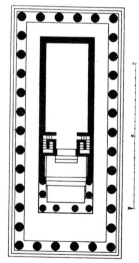

FIG. 35 – *Paestum, temple d'Athéna. Vers 510 av. J.-C. (F. Krauss, Die Tempel von Paestum I, 1 pl. 3)*

noter que les colonnes qui précèdent directement la cella, et qui appartiennent au pronaos, sont des colonnes ioniques et qui supportent aussi des chapiteaux ioniques. La cella n'offre pas le type FIG. 35 alors usuel dans l'ordre dorique, à savoir le dispositif «*in antis*» double – avec façade postérieure reproduisant la disposition à antes de la façade antérieure –, ni le dispositif «*in antis*» simple, avec le schéma du Trésor des Siphniens, mais constitue un bâtiment prostyle, c'est-à-dire que l'on n'accède pas au pronaos en passant entre deux colonnes, piliers ou Caryatides, eux-mêmes placés à la hauteur du prolongement des murs latéraux, donc des antes, mais par une rangée de quatre colonnes au total, qui se dressent devant les antes raccourcies en conséquence. Dans le cas du temple d'Athéna à Paestum, ce type se trouve encore enrichi: en effet, au lieu de se terminer par des pilastres, c'est-à-dire des antes, l'épaisseur des murs latéraux prolongés disparaît sous une colonne engagée. Une colonne supplémentaire s'élève entre cette colonne engagée et la prostasis. Le nombre des colonnes obéit au rapport canonique de 6:13.

La grâce féerique des créations de l'archaïsme tardif apparaît le PEINTURE DE VASES plus clairement dans l'art des céramographes. Ils nous introduisent d'une main légère dans l'univers enchanté de cette fin d'époque. Même Exékias oublie dans ses tableaux des années vingt le souffle *Période tardive* héroïque des œuvres de ses années de maturité virile, d'adulte *d'Exékias* maîtrise. Mais cela démontre que, s'il avait certes vieilli en années, il était resté jeune dans ses capacités artistiques. Ses ultimes travaux comprennent un cratère «en calice», découvert au cours des fouilles entreprises par les archéologues américains sur le site de l'Agora PL. PAGE 190 d'Athènes, dont le Musée le conserve à présent. Au-dessus des anses, le décor peint n'offre pas ici l'habituel ornement, mais une représentation figurée, laquelle possède néanmoins un caractère ornemental. A partir des anses s'élèvent des ceps, comme sur la nef de Dionysos de la coupe munichoise, et cette vigne se ramifie, portant du feuillage et de lourdes grappes de raisin. Sur l'un des minces rameaux, voire sur le rinceau le plus délicat, est assise une Nymphe, maintenue dans un équilibre irréel, se balançant comme dans un rêve. En vérité, une image de rêve.

Paestum, temple d'Athéna. Vers 510 av. J.-C. *Cf. page 183*

Sur les armes et les manteaux des héros jouant aux dés sous une tente du camp des Grecs devant Troie, Exékias avait déjà tenté, à l'aide des riches incisions intérieures fortement détaillées, d'aboutir à des effets tels qu'ils étaient beaucoup plus faciles à obtenir avec la technique à figures rouges, grâce aux ustensiles de peinture plus fins et surtout flexibles employés par ce procédé. Cette intention PL. PAGE 195 s'affirme plus nettement encore avec l'archer en costume scythique qui figure sur un tesson d'amphore du Musée de l'Université de Philadelphie. L'ensemble de la figure est gainé dans un vêtement parsemé de motifs ornementaux. Devant le milieu du corps se trouve suspendu l'impressionnant carquois. Les mains tiennent l'arc, élastique et très grand. Un bonnet couvre la tête, mais les pieds sont nus. Sous cet aspect, le personnage de l'archer scythe est aussi très en faveur sur les vases à figures rouges contemporains. Epuisant les possibilités les plus fines de la technique traditionnelle, Exékias rivalise par conséquent là encore avec les tenants du nouveau procédé de peinture à figures rouges. La date de création tardive de la figure noire de l'archer est attestée par la seule maîtrise expressive du rendu du mouvement des pas silencieux, par lesquels le personnage se hasarde en avant, et aussi par le dessin vivant et enlevé des contours, qui détachent la silhouette du fond couleur d'argile du tableau.

Une dizaine d'années après l'archer scythe était créé le décor de l'amphore du British Museum due à Oltos, céramographe des débuts de la technique à figures rouges. En entreprenant cette œuvre, Oltos pouvait déjà profiter des expériences et des acquisitions des peintres qui avaient appartenu à la première génération des partisans du nouveau procédé; il avait accumulé lui-même des expériences dans ce domaine. En plus des formes rebondies, plastiques du corps du récipient, de nouveau tendu dans un jet continu de la panse à l'embouchure, le vase qu'il a décoré offre par lui-même des charmes inédits de nature chromatique. Outre que la face inférieure du pied, de la couleur de l'argile, contribue aussi à l'effet chromatique du vase vu debout, et que le disque de séparation entre le pied et la panse se couvre d'un rehaut de couleur pourpre, – les anses verticales, dans le lustre d'encaustique de la couleur de l'argile, correspondent d'une part à la figure isolée sur le noir vernis métallique des parois et se détachent d'autre part du corps du vase comme si elles étaient d'une matière totalement différente ou ne faisaient même pas véritablement partie de l'ensemble!

*Oltos*

PL. PAGE 199

L'unique figure sur l'autre face de l'amphore est un guerrier que l'inscription nomme Achille. La jeune fille en costume ionien, chiton et manteau, se trouve identifiée par l'inscription additive comme étant Briséis. Elle porte une couronne dans les cheveux et tient dans la main gauche une fleur exquise, laquelle est approchée à l'instant du nez, tandis que l'œil mince, en amande, contemple cette fleur avec ravissement. Briséis n'est pas placée sur une ligne formant base, sur un podium qui marquerait son emplacement à la surface du vase. Elle flotte comme la Nymphe d'Exékias dans les rinceaux de vigne, ou plutôt d'une façon plus irréelle *encore* que celle-ci, puisqu'elle ne prend même pas appui sur le moindre rameau. Le dessin d'Oltos est néanmoins plus logique; il paraît plus réel et nullement plus irréel que celui d'Exékias. Avec cette forme de décoration, Oltos a créé une nouvelle convention, qui connaîtra des triomphes au cours des premières décennies du V$^e$ siècle. Des peintres ultérieurs ont parfois jugé nécessaire de donner aux personnages isolés sur les parois noircs un «plateau» fixe, sous forme de ligne ou de bandeau ornemental. Mais le nouveau type de tableau est précisément déterminé par l'opposition entre le fond galbé et le dessin qui s'en détache avec une nette précision figurative, et le créateur du procédé a déjà su l'employer dans ce sens en virtuose. Cependant, si ce nouveau type de décoration devait avoir un avenir en tant que tel, le dessin lui-même peut uniquement se concevoir au sein de la poésie féerique de l'époque tardive. Il a encore été créé, certainement, au temps du tyran Hippias, donc antérieurement à 510 av. J.-C.

*Evolution des formes d'amphores*
Quand on se représente, arrivé là, l'évolution que cette forme de vase, l'amphore, a connue depuis la fin du VIII$^e$ siècle jusqu'à la fin du VI$^e$ siècle, on est frappé par la multiplicité des possibilités de structure, des contours et des types de décoration. Mais en même temps se trouve ainsi exposée, par le truchement d'une forme particulière, l'histoire de l'art grec dans l'espace de temps traité par le présent ouvrage. Notre itinéraire nous a conduits des formes minces, d'un effet presque éthéré, dans et par lesquelles le style géométrique arrive en quelque sorte à se dissoudre, et qui sont représentées par l'amphore peut-être un peu maniériste du géo-

S.I. 10
S.I. 11
métrique tardif conservée au Musée du Louvre, aux formes vigoureuses, évasées et néanmoins fermement tendues de l'amphore illustrant l'épisode de Polyphème. Le même écart chronologique, approximativement, qui se situe entre ces deux vases, sépare aussi le

PL. PAGE 70
vase de Polyphème de la monumentale amphore funéraire à figures noires du Pirée. Il est intéressant de comparer les chevaux sur le vase géométrique et sur le vase à figures noires. Les représentations —

séparées par un intervalle d'environ 80 ans – révèlent autant la tenace survivance d'un type en dernière analyse identique que le raffermissement soudain et la monumentalisation des animaux à figures noires. Après un nouvel intervalle d'environ 80 ans, nous avons ensuite l'amphore d'Exékias à Boulogne-sur-Mer et l'amphore d'Amasis à la Bibliothèque Nationale. La peinture à figures noires a maintenant atteint un tel degré de perfection, puisque se trouvant en fait au zénith de son développement, que les représentations de l'amphore du Pirée ne peuvent plus passer pour autre chose qu'un stade préliminaire, d'un effet certes grandiose, mais de dimensions presque sinistres. La forme de récipient en tant que telle s'est à présent scindée pour constituer les types rigoureusement et fondamentalement distincts de l'amphore pansue et de l'amphore à col. Correspondant à la nature de la peinture à figures noires, le caractère des tableaux demeure évidemment, chez Amasis comme chez Exékias, bidimensionnel, c'est-à-dire planimétrique. Avec l'amphore d'Oltos du British Museum finalement, plus récente d'une trentaine d'années, la tectonique claire de la forme de récipient, qui confère au vase une plasticité jusqu'alors inouïe, s'accompagne de l'acquisition du domaine artistique découvert par la technique à figures rouges. A présent la figure peinte semble également dotée de plasticité, elle se détache pour ainsi dire d'une manière statuaire sur l'arrière-plan neutre de la surface du vase.

PL. PAGES 158 ET 159

PL. PAGE 199

La supposition que pendant le règne des tyrans et par cette forme de gouvernement fut façonné un certain type humain, du moins à Athènes, est-elle justifiée? Il est à peu près sûr que cette époque témoigne, favorisée par la tyrannie, une notable influence ionienne dans la plastique et l'architecture attiques. La plupart des Corès de l'Acropole en sont un exemple frappant. Ou bien le projet et le commencement de réalisation d'un grand temple de Zeus dans les années autour de 520 av. J.-C. Athènes, aussi, devait recevoir un de ces temples aux dimensions gigantesques répandus dans la seule Grèce orientale ionienne; un tel édifice n'est évidemment concevable que dans l'ordre d'architecture ionique. Après la chute d'Hippias, au temps de la démocratie athénienne, le temple demeura inachevé. Les travaux ne furent conduits à leur terme que sur

*Influence du politique sur l'art*

Nymphe dans des rinceaux de vigne. Décor d'anse d'un cratère en calice d'Exékias. 530–520 av. J.-C. *Hauteur du vase: 44 cm. Athènes, Musée de l'Agora. Cf. page 185*

FIG. 36 – *Base inscrite d'une statue funéraire, marbre.*
*Vers 515 av. J.-C. Athènes, Musée du Céramique*
*(Athenische Mitteilungen 78, 1963, annexe 69, 2)*

l'initiative de l'empereur Hadrien; mais l'ordre alors adopté fut
le corinthien, qui prédominait à l'époque impériale romaine. Il
convient aussi de souligner la liaison ayant existé entre la cour de
Polycrate de Samos et celle des fils de Pisistrate. La vie spirituelle
à la cour de Polycrate devait certainement se ressentir de la présence des poètes lyriques Ibycos et Anacréon. Ce dernier vint de
Samos à Athènes; probablement à l'époque où Polycrate avait
déjà été fait prisonnier et supplicié par les Perses. A Athènes il fit
partie, avec le poète Simonide de Céos, du cercle autour d'Hipparque. Les jeunes gens appartenant aux grandes familles attiques
qui fréquentaient ce cercle ont pu avoir une certaine affinité, dans
leurs façons policées et distinguées, avec les personnages d'Amasis,
et plus tard ils ont même pu ressembler aux adolescents un peu
décadents qui apparaissent en tant que spectateurs et auditeurs
élégamment vêtus sur les amphores d'Andokidès. La Briséis d'Oltos PL. PAGE 199
ne peut pas être citée sans plus en compagnie de ces représentants
parfumés et calamistrés de la jeunesse dorée de l'Athènes d'alors.
Elle se situe plutôt en connexion avec les compétitions des rhapsodes,
grâce auxquelles, au cours du concours musical *(mousikos agôn)* des
Panathénées, les vieilles épopées reprenaient une vie nouvelle. Le
dessin subtil de la figure, le regard intense de l'œil mince, la position
de la fleur approchée du nez expriment en tout cas un sentiment de
vie et un usage s'intégrant le mieux dans le tableau d'un art «de
cour». La déduction logique sera que la peinture de vases à figures
rouges aura offert d'autres traits après l'éviction des tyrans. Par
conséquent on a pu, non sans raison, opposer aux tableaux d'Oltos
la «grandeur nouvelle du style d'un Euphronios ou d'un Euthy-

midès». De telles distinctions entre l'art *avant* 510, l'année de la chute d'Hippias, et le *temps postérieur*, lorsque Clisthène eut introduit une nouvelle constitution, se laissent faire. En sculpture aussi, et plus spécialement dans l'art des monuments funéraires, on a parlé d'une ère pisistratidienne et d'une ère clisthénienne. A l'époque des Pisistratides, donc d'Hippias et d'Hipparque, appartenait certainement la statue funéraire qui se dressait sur une base statuaire

FIG. 36 parvenue jusqu'à nous, avec l'inscription suivante: «Monument funéraire d'Aïschros de Samos, du fils de Zoïlos». Cependant, cette base n'a nullement été découverte à Samos, mais dans la nécropole athénienne devant le Dipylon. Aïschros fut par conséquent inhumé à Athènes. Il est très possible que ce Samien ait quitté sa patrie après la mort de Polycrate. Par la suite il sera décédé dans l'Athènes des Pisistratides. Un sculpteur de Samos – cela est confirmé par les restes très fragmentaires d'une statue ayant probablement reposé sur la base – a exécuté son monument funéraire, conservant l'alphabet samien pour l'inscription gravée sur le socle. En comparaison

FIG. 32 avec les formes d'écriture de l'inscription attique de Phrasicleia, l'inscription du monument funéraire d'Aïschros révèle sans doute aussi la différence entre la structure pisistratique (du temps de Pisistrate) et la structure pisistratidienne (du temps des Pisistratides, c'est-à-dire des fils de Pisistrate). Le caractère d'ornement des formes d'écriture accuse cette divergence avec une particulière netteté. En fait, le changement d'aspect de l'écriture traduit sismographiquement une modification non seulement de l'art, mais de l'ensemble de l'édifice culturel.

Le rapport chronologique est le même entre la Corè d'Exékias examinée plus haut et la tête d'une statue de *korè*, qui a également été trouvée sur l'Acropole, mais qui, en raison de son style, a dû être créée une vingtaine d'années plus tard. Or, la question suivante se pose à nous: les formes de cette tête reflètent-elles encore les dernières années du règne d'Hippias ou bien proviennent-elles déjà

*Plastique attique aux débuts de la démocratie* de l'époque au cours de laquelle Athènes avait inventé son régime politique le plus singulièrement archétypique, la démocratie? La transformation n'est pas mince que nous voyons s'opérer dans le

s.i. 17 rendu du visage, entre la Corè d'Exékias et la tête isolée, reconnue

192

pour la première fois dans sa signification particulière par H. Payne. s.i. 14
Les traits du visage trahissent à présent une vie de l'esprit beaucoup
plus complexe, par rapport à laquelle la Corè d'Exékias paraît plus
simple et plus directe. Mais le talent du sculpteur plus récent se
révèle aussi par cette autre constatation: malgré un modelé plus
contrasté et plus rebondi des détails, son œuvre possède au moins
autant d'homogénéité artistique, dans le traitement de la surface
et le tracé des contours, que la Corè d'Exékias. L'essence humaine
qui s'exprime ici est plus réservée, plus calme, plus consciente peut-
être que n'aurait pu le tolérer la manière éclatante, irréfléchie de
la Corè d'Exékias. Cette particularité de la tête s'affirme le plus
clairement quand on analyse le modelé des paupières épaisses et
douces, et de la bouche très large, qui semble s'ouvrir. Ces détails,
si expressifs et entiers qu'ils soient, «paraissent néanmoins» – je
reprends la formulation de Payne – «ne pas être autre chose que la
conséquence naturelle des formes qui les entourent».

Vue sous cet angle, la tête se conçoit plutôt comme un témoignage
du temps qui a aussi suscité la constitution de Clisthène. Entre la
Corè d'Exékias et la tête, il faudrait alors situer non seulement
d'autres Corès de l'Acropole, comme celles qui portent les numéros
d'ordre 670, 672 et 673, mais aussi et surtout l'effigie de Briséis pl. page 119
par Oltos, figure qui, en dépit d'un plus grand écart dans le temps,
tient plus de la Corè d'Exékias que de la tête plus récente. Mais un
tel placement chronologique se trouve d'autre part renforcé par des
reliefs attiques de l'époque. Dans ce contexte on citera en premier
lieu une base monumentale, qui provient elle encore de la nécropole fig. 37
du Céramique et supportait à l'origine une statue funéraire. Trois
faces de ce socle sont ornées de reliefs, lesquels représentent des
scènes palestriques – jeu de balle, lutte, lancement du javelot –
ainsi que quatre jeunes gens qui suivent avec intérêt les premiers
signes d'hostilité entre un chien et un chat sauvage, les deux tenus
en laisse. Les reliefs ne possèdent pas tout à fait la qualité artistique
de la tête de *korè* que nous venons d'étudier, mais l'idiome formel
est le même. La simple juxtaposition archaïque des formes particulières cède lentement le pas à l'intention de subordonner les détails
indépendants à une conception d'ensemble dominant le tout. Ainsi

FIG. 37 – *Extrait de la base sculptée d'un monument funéraire, marbre. Après 510 av. J.-C. Athènes, Musée National*

se manifeste un état d'esprit qui est certainement moins dénué de problèmes que l'archaïque, mais qui, en revanche, se rapproche même de ce moment de la propre fixation, où une problématique n'existe pas uniquement dans la mise en forme artistique comme menace d'une esthétique traditionnelle, mais pénètre la conscience de l'artiste.

La stylisation de la plicature des manteaux représentés sur la base à reliefs permet de suivre ces formes caractéristiques, et avec elles ce qu'elles expriment, dans la phase de développement subséquente et d'une catégorie d'art dans l'autre. Nous avons pu observer les manières successives de représenter l'être humain et de rendre son

Archer scythe. Tessons d'une amphore pansue d'Exékias. 530–520 av. J.-C. *Philadelphie, Musée de l'Université. Cf. page 186*

essence, de la Corè d'Exékias à la Briséis d'Oltos, de cette dernière à la tête de *korè* et de là encore à la base de la statue funéraire : cette évolution aboutit à son terme avec un tableau de vase, lequel peut être considéré comme mettant un point final à l'histoire de l'art

*Peinture de vases aux débuts de la démocratie*

archaïque. Avec ses tableaux les plus anciens déjà, qui peuvent se situer chronologiquement dans la dernière décennie du VIe siècle et sans doute dans les débuts de cet espace de temps, Euphronios a surmonté une certaine délicatesse maniérée, qui distingue le style archaïque et ainsi autant les œuvres tardives d'Amasis et d'Exékias que les vases à figures rouges d'Andokidès, d'Epiktétos et d'Oltos.

PL. PAGE 202

Il s'y ajoute, dans un tableau appartenant peut-être déjà au Ve siècle, un silence singulier, presque un peu angoissant, pour ainsi dire quelque chose comme un souffle de mélancolie.

Il s'agit d'un nombre plutôt restreint de tessons, qui, rassemblés, forment une partie de la frise figurée sur le côté extérieur d'une coupe à boire. A droite sont conservées des lettres : elles constituent la fin de la signature par laquelle Euphronios s'est identifié comme le peintre de la coupe. En haut, devant le profil d'un visage encore visible dans sa partie inférieure, est inscrit le nom de Thétis. Il nous livre la clef du thème : l'enlèvement de la Néréide Thétis par Pélée. Nous sommes loin, ici, du rapt de la fiancée tel qu'Euthymidès l'avait peint sur une amphore de la collection de vases munichoise, avec l'enlèvement de Coroné par Thésée, et tel que l'avait sculpté le maître de l'enlèvement d'Antiopé par le même Thésée dans le fronton d'Erétrie ! Chez Euphronios les pas sont lents, hésitants, les gestes réservés. La partie supérieure de la frise n'étant pas conservée, l'observateur cherche peut-être avec plus d'intensité, plus de curiosité soutenue à comprendre la représentation ; les traits caractéristiques se révèlent alors plus sûrement et plus aisément au regard. A gauche, prêt à partir, se trouve le char, vers lequel Pélée conduit Thétis. D'autres personnages, long vêtus, se discernent. A droite une mince ligne double : probablement une lance tenue de biais. L'atmosphère particulière de ce tableau se concentre dans la position des mains des futurs époux. Pélée a saisi Thétis par le poignet. Mais les doigts écartés trahissent la souplesse et la douceur dont est empreint ce geste. Et Thétis ne tend pas seulement les doigts de cette main tenue en direction du chemin que prennent tous les personnages ainsi que le char, mais aussi l'index et le médius de la main gauche. Autour de son avant-bras gauche elle porte un bracelet à plusieurs enroulements. Le bandeau décoratif, qui se compose de palmettes couchées et qui soutient la représentation en tant que socle ou plateau, devrait retenir l'attention en plus de la frise figurée, cela malgré son état très fragmentaire.

La forme des folioles des palmettes de cet ornement courant est d'un effet légèrement plus archaïsant que les folioles des trois palmettes dans le segment du médaillon intérieur de la coupe qui constitue peut-être le dernier vase décoré de la main d'Euphronios céramographe. La coupe a été signée par Sosias, en tant que potier; Euphronios devait encore signer des vases plus récents, mais dorénavant toujours comme potier.

Le médaillon intérieur de la coupe de Sosias révèle l'instauration de rapports nouveaux entre les humains. Ce n'est certes pas un hasard si ces rapports se trouvent accusés par un tableau ayant pour thème le secours prodigué par un guerrier à un autre guerrier, l'assistance qu'un homme jeune apporte à un homme plus âgé : Achille pansant Patrocle blessé. Ce parti qui, d'une part, vise au rendu minutieux de tous les détails, et qui, d'autre part, subordonne expressément tous ces détails à l'idée du tableau, témoigne des possibilités jusqu'alors insoupçonnées d'une composition, dans laquelle l'harmonie du corporel et du spirituel est parfaite. Les corps dans leur mouvement, les membres fortement repliés dans le genou ainsi que la jambe de Patrocle appuyée contre le cadre du tableau sont en effet conçus comme des formes organiques logiquement animées. Le bouclier, renversé au sol, sur lequel est assis Patrocle, confère de la stabilité à la composition du groupe. Le mouvement de support de la main droite de Patrocle, sa tête penchée de côté, sa bouche ouverte, le regard d'Achille soigneusement dirigé sur le pansement : grâce à ces moyens formels, la représentation n'est pas seulement dotée d'atmosphère, mais aussi de concentration psychique. Ici aussi, dans cette concentration, est contenue une nouvelle prise de conscience. Les compositions mûres d'Exékias possédaient déjà de l'atmosphère, qui n'était pas détachable du contenu du tableau et de l'interprétation du thème. Mais cette atmosphère était inhérente aux tableaux, comme allant de soi ; elle était simplement présente, sans aucune problématique. Quand l'homme commence à prendre conscience de ses actes, il se réveille en lui un sens de la responsabilité jusqu'alors inconnu. Le fait que ce sentiment puisse à présent être présupposé a modifié ces tableaux en comparaison avec leurs prédécesseurs. En réalité ils ne se situent plus tout à fait au sein du cosmos archaïque. D'où l'urgence accrue de l'interrogation : ce changement est-il en rapport avec la fin de la tyrannie et l'instauration de la démocratie athénienne ?

*Guerres médiques*    Il y a cinquante ans encore, on considérait que ces modifications ainsi que la frontière entre l'art archaïque et l'art classique des Grecs avaient leur cause dans les guerres médiques. L'immense menace que les Perses avaient fait peser sur la Grèce et la résistance victorieuse inattendue que les Hellènes avaient opposée à l'écrasante supériorité des forces ennemies auraient, dans cette perspective, déterminé la gravité de l'art classique primitif, les formes à la fois sévères et libres, les valeurs éthiques proposées par les auteurs dramatiques, la conscience nationale des Grecs. Mais ensuite on essaya, à l'époque, de voir dans les guerres médiques et dans les événements qui s'y rattachaient non pas la cause, mais plutôt un symptôme des nouvelles dimensions de forme et d'esprit. Aujourd'hui nous serions enclins à attribuer de même une valeur symptomatique aux structures politiques et sociales changées et à les ramener à des causes plus profondes, non visibles extérieurement. Peut-on d'ailleurs considérer le changement de la forme de gouvernement d'Athènes, si tranchantes que fussent ses incidences sur la vie de chaque Athénien en particulier, comme une modification de structure déterminante, une révolution pour l'ensemble de la Grèce ?

*Continuité de la politique attique et de l'histoire de l'art archaïque*    A cette question on peut répondre en toute certitude par la négative. Car même pour la ville d'Athènes et pour le pays attique, le résultat de la constitution de Clisthène ne doit pas être conçu comme

Amphore du potier Euxithéos, l'effigie de Briséis étant peinte par Oltos. Vers 510 av. J.-C. *Londres, British Museum. Cf. page 187*

un meurtrier trait final tiré sous tout le développement antérieur. De toute façon, même avant l'instauration de la démocratie athénienne, la vie des cités-Etats de Grèce ne s'était pas déroulée sans vicissitudes au cours du VIe siècle, à Athènes moins qu'ailleurs. A cette époque, le déroulement de l'histoire, et pas seulement de l'histoire attique, semble néanmoins d'une extraordinaire conséquence, on dirait presque téléologique, c'est-à-dire axée sur une fin. Maintes pensées contenues à l'état latent dans la constitution solonienne, mais qui présupposaient l'exécution d'autres réformes et ne pouvaient par conséquent pas encore être traduites dans les faits au début du VIe siècle, furent réalisées par Pisistrate. Ainsi, la libération définitive de la population rurale ne fut obtenue que sous Pisistrate, par un partage des terres et la suppression du prélèvement du sixième sur la récolte des petits paysans jusqu'alors astreints à cette contribution. Clisthène alla encore plus loin dans cette voie, en accordant le droit de cité à un grand nombre d'habitants qui en étaient restés privés. En agissant de la sorte, il demeurait d'ailleurs dans la grande ligne de la politique solonienne. Cette même continuité logique, s'étendant sur un vaste espace de temps, s'observe également dans l'organisation culturelle. Les Panathénées furent fondées six ans avant le coup d'Etat de Pisistrate. Mais le tyran accrut leur importance, les développa, principalement les jeux agonistiques des musiciens et des rhapsodes; et il va sans dire que même après Hippias et jusqu'au temps de Périclès les fêtes des Panathénées continueront à occuper le milieu du calendrier attique et à en constituer le centre de gravité. Cependant, la division de l'ensemble de la population en dix nouvelles tribus *(phulai)*, l'amalgame des citoyens ruraux et urbains au sein de l'organisation administrative du pays ainsi que l'ostracisme étaient autant d'innovations absolues de la démocratie et affectaient jusqu'aux racines de la société. On a néanmoins l'impression que ces réformes, elles aussi, n'ont fait que précipiter une transformation opérée dans la mentalité des Athéniens et rendue généralement manifeste par la constitution de Clisthène. Car si tel n'avait pas été le cas, Clisthène n'aurait jamais pu imposer ses vues en tant que personnalité isolée, même pas avec l'appui de tout le *genos* des Alcméonides.

Cela sur le développement de la politique et de l'art, en dernière analyse homogène, dans l'Athènes archaïque. En ce qui concerne les formes locales particulières et le genre autonome des diverses régions grecques, il faut ajouter qu'Athènes, bien que les forces artistiques de la Grèce s'y soient rassemblées depuis 630 av. J.-C. comme en un point focal, est néanmoins devenue de plus en plus – ou peut-être précisément pour cette raison – le représentant exemplaire, le modèle de presque toutes les cités grecques. Cette affirmation ne veut nullement réfuter les nombreuses différences de structure que nous avons sans cesse rencontrées au cours de notre étude. Mais le rythme de l'évolution et la succession des diverses phases de style sont les mêmes dans toutes les régions. Cette constatation s'étend jusqu'aux phénomènes politiques. Ainsi, malgré le fait que la tyrannie en tant que forme de gouvernement n'ait existé au VI<sup>e</sup> siècle que dans certaines régions déterminées – outre Athènes et Samos principalement l'île de Naxos, où régnait Lygdamis, également un allié de Polycrate –, les ambitions politiques et culturelles, ainsi que les moyens mis respectivement en œuvre pour les réaliser, n'étaient pas fondamentalement différentes de celles des tyrans. Mais, par l'unité parfaite de la religion, sans cesse manifestée à l'occasion des grandes fêtes agonistiques organisées dans les sanctuaires panhelléniques, et sous le règne des grandes familles distinguées, se développa surtout, et cela que les Etats fussent ou non gouvernés par un tyran, le sens d'une communauté nationale des Hellènes, qui put ensuite susciter la résistance victorieuse à l'attaque perse, et sans lequel ne seraient pas non plus concevables, ultérieurement, Pindare et Sophocle, Phidias et Polyclète.

Ici il est essentiel de rappeler ce relâchement des formes mythologiques et religieuses déjà accusé par notre examen des œuvres figurées. C'est la diffusion du culte de Dionysos et son enracinement dans l'expérience religieuse de toutes les couches de la population. Ces événements se passèrent au VI<sup>e</sup> siècle. Les tableaux dionysiaques, principalement des céramographes attiques, et les représentations de Dionysos lui-même en constituent le témoignage le plus évident. Un point d'appui chronologique signifiant la victoire de ce mouvement est enfin fourni par l'introduction du culte diony-

Pélée enlevant Thétis. Tableau extérieur d'une coupe peinte par Euphronios. Vers 500 av. J.-C. Hauteur de la frise figurée : 12,6 cm. Athènes, Musée National. Cf. page 196

siaque, avec des représentations théâtrales, et la construction du temple de Dionysos à Athènes, dans les années vingt du VIᵉ siècle. Des courants philosophico-mystiques tels que l'orphisme et la doctrine de Pythagore, fondée dans les dernières décennies du VIᵉ siècle, sont pour le moins apparentés au culte dionysiaque et auront principalement exercé leur influence sur l'art archaïque tardif de l'Italie du Sud. En revanche, Héraclite d'Ephèse ne peut plus être considéré comme un dernier penseur de la Grèce archaïque. Dans la mesure où les fragments médiocrement retransmis nous permettent même de saisir sa doctrine des oppositions de l'âme, des antinomies, sa philosophie nous introduirait plutôt dans la tension dramatique du Vᵉ siècle. S'il passe logiquement de la philosophie de la nature ionienne à une métaphysique, cela tient de la décision consciente d'un esprit postarchaïque. Car l'archaïsme, c'est la chose en soi, la matière, la substance. L'archaïsme, cependant, c'est aussi l'origine mystérieuse de la matière. Ni l'une ni l'autre ne sont transcendantes dans leur essence ; mais tout est nature.

*Nature et art*

Il faut néanmoins faire deux restrictions, mais des restrictions qui relèvent plutôt de la détermination. Cette nature ne peut jamais être amorphe. Si elle se manifeste assurément en toute simplicité, c'est toutefois uniquement sous une forme précise. De même que les Grecs ont vu la montagne et la forêt, la mer et les fleuves animés par des êtres concrets, ainsi la nature se trouve mise en forme dans chacune de ses manifestations et précisément aussi en tant qu'œuvre d'art. L'archaïsme connaît une stylisation plus rigoureuse qu'aucune autre époque. En même temps on simplifie, on s'accommode d'un nombre restreint de types. D'autant plus impressionnante est la puissance, la présence des formes créées, d'autant plus fort leur pouvoir.

En second lieu – et, en raison du caractère naturel de l'objet, cela est d'ailleurs impliqué par la définition : la matière n'est jamais matière morte, mais toujours conçue comme emplie de vie, comme source rayonnante de vie. Par la mise en forme artistique, la matière se voit dotée de vie spirituelle. Même la nature brute se trouve sublimée, purifiée par cette vie spirituelle.

Dans les trois siècles que nous avons traversés, le contenu et la composition de la mise en forme archaïque ont été soumis à des modifications. Une stylisation géométrique extrêmement rigoureuse caractérise le tableau à cadre quadrilatéral entre les anses de l'amphore funéraire monumentale. La terrible expérience de l'instinct déchaîné, de la soif de sang et de la mort que les Grecs devaient acquérir au cours des révolutions du VIIᵉ siècle, expérience qui alla jusqu'aux limites de l'autodestruction, est rendue par des figurations animalières, comme celle qui apparaît sur l'épaule d'une olpè corinthienne. Une fois encore, cette expérience s'accentue, dans le caractère sauvagement démoniaque de la Gorgone de

PL. PAGE 10

PL. PAGE 58

S.I. 18

Corcyre; mais elle est en même temps surmontée, grâce à l'intégration des effrayantes puissances de l'instinct déchaîné entre les
mondes des dieux olympiens et des héros homériques. Le groupe
central d'un fronton, qui devait faire partie d'un très petit édifice
s.i. 19 sur l'Acropole, figure de nouveau un combat d'animaux. Cette
œuvre marque la fin de l'art archaïque, en constitue l'ultime
accord. Car le thème n'est plus ici la sauvagerie surnaturelle du
lion, comme sur l'olpè corinthienne, et pas plus l'effrayant caractère
démoniaque propre à la Gorgone du fronton de Corcyre, mais une
sauvagerie pour ainsi dire *naturelle*, qui fait comprendre la mort du
veau mâle presque comme un destin chargé de sens, en tout cas
comme un élément partiel seulement d'une trame beaucoup plus
vaste, ordonnée cependant, ordonnée suivant les lois de la vie
organique. A ce niveau de la figuration, même une scène aussi
mouvementée et tragique participe de l'harmonie, de la sérénité
nouvelle de l'existence, de l'équilibre de la balance de la vie et de
la mort. Ici s'annonce l'art classique.

# ANNEXES

# RÉFÉRENCES DU SUPPLÉMENT ILLUSTRÉ

*(La mention marginale S.I. = supplément illustré, dans le corps du livre, renvoie aux reproductions suivantes)*

1 – Amphore cycladique de l'archaïsme primitif (ou ancien), détail avec cerf pâturant. Vers 650 av. J.-C. Hauteur du vase: 59 cm. Stockholm, Musée National. Arias-Hirmer-Shefton, History of Greek Vase Painting ill. 25. *Cf. page 34.*

2/3 – Figurine d'ivoire d'un éphèbe agenouillé, partie d'ustensile (cf. fig. 11). Vers 630 av. J.-C. Hauteur: 14,5 cm. Athènes, Musée National. E. Buschor, Altsamische Standbilder IV ill. 241/42. Complètement: D. Ohly, Athenische Mitteilungen 74, 1959, 54 ill. 7. *Cf. pages 57 et suiv.*

4 – Statue funéraire de jeune homme (Couros), marbre. 630–620 av. J.-C. Hauteur: 1,93 m. New York, Metropolitan Museum. G. M. A. Richter, Metropol. Museum Studies V, 20 et suiv. *Cf. pages 65, 68 et 133.*

5 – Statue assise, ex-voto d'Æacès *(Aiakes)*, marbre, de la ville de Samos. Vers 530 av. J.-C. Hauteur: 1,51 m. Pythagoreion, Musée. E. Buschor, Altsamische Standbilder ill. 141. *Cf. page 135.*

6/7 – Casque de bronze du sanctuaire de Zeus à Olympie; clous et spirales incrustées, argent. Vers 560–550 av. J.-C. Hauteur: 22,6 cm. Olympie, Musée. E. Kunze, VII. Olympia-Bericht, 84 N° 39, p. 52 et 53. *Cf. page 114.*

8 – Cuirasse et casque d'une tombe géométrique d'Argos, bronze. VIIIᵉ siècle av. J.-C. Hauteur de la cuirasse: 47,4 cm, hauteur du casque: 46 cm. Argos. Musée Archéologique. Bull. Corr. Hell. 81, 1957, 322 et suiv., pl. I–IV. *Cf. page 25.*

9 – Cuirasse du sanctuaire de Zeus à Olympie, bronze. Vers 540 av. J.-C. Olympie, Musée. Arch. Deltion 17, 1961/62 II pl. 134 a. *Cf. page 114.*

10 – Loutrophore protoattique. Vers 690 av. J.-C. Hauteur: 80 cm. Paris, Musée du Louvre. Arias-Hirmer-Shefton, History of Greek Vase Painting pl. II. *Cf. page 188.*

11 – Amphore funéraire protoattique d'Eleusis. Première moitié du VIIᵉ siècle av. J.-C. Hauteur: 1,42 m. Eleusis, Musée (cf. planche en couleurs page 38). G. E. Mylonas, Protoattikos Amphoreus tis Eleusinos, Athènes 1957. Arias-Hirmer-Shefton, History of Greek Vase Painting ill. 12–13. *Cf. pages 37 et 188.*

12 – Cratère à volutes laconien. Second quart du VIᵉ siècle av. J.-C. Hauteur: 38 cm. Rome, Villa Giulia. P. Mingazzini, Vasi della Collezione Castellani N° 423 pl. 42. *Cf. page 107.*

13 – Tête de Chélidon, métope de Thermos (cf. planche en couleurs page 77). H. Kähler, Das griechische Metopenbild pl. 19. *Cf. page 78.*

14 – Tête de Corè, marbre, provenant de l'Acropole. Vers 510 av. J.-C. Hauteur: 16 cm. Athènes, Musée de l'Acropole N° 643. H. Payne, Archaic Marble Sculpture from the Acropolis 37 et suiv.; pl. 70–71. *Cf. page 193.*

15 – Coupe laconienne, tableau intérieur. Vers 550 av. J.-C. Diamètre: 17,5 cm. Londres, British Museum B 1. *Cf. pages 37 et 107.*

16 – Amphore de Grèce orientale du style de Fikellura. Vers 550–530 av. J.-C. Hauteur: 31 cm. Altenbourg, Staatl. Lindenau-Museum. Corpus Vasorum Antiquorum Allemagne 17, Altenbourg 1 pl. 10–12. *Cf. pages 163 et 166.*

17 – Corè péplophore de l'Acropole, marbre. Vers 530 av. J.-C. Hauteur: 1,18 m. Athènes, Musée de l'Acropole N° 679. Schrader-Langlotz, Die Archaischen Marmorbildwerke von der Akropolis, 45, N° 4 pl. 3–8. *Cf. pages 172 et suiv.*

18 – La Gorgone Méduse avec ses enfants, Pégase et Chrysaor, entre deux panthères. Groupe central du fronton du temple d'Artémis à Corcyre, tuf coquillier local. Vers 580 av. J.-C. Hauteur de la Gorgone: 2,79 m. Corfou, Musée. G. Rodenwaldt, Korkyra. Die Bildwerke des Artemistempels, Berlin 1939. *Cf. pages 84 et suiv., 153 et 203.*

19 – Deux lions terrassant un bovidé. Haut-relief d'un fronton datant de l'archaïsme tardif (ou récent), marbre. Assemblage des moulages des deux moitiés actuellement séparées à New York, Metropolitan Museum, et Athènes, Musée National. Vers 500 av. J.-C. Hauteur: 61,3 cm. G. M. A. Richter, Cat. of Greek Sculpture in the Metropolitan Museum of Art pl. X 7. *Cf. page 205.*

Le matériel pour la reproduction 1 a été mis à notre disposition par le Musée National, Stockholm; le matériel des autres reproductions est dû à l'amabilité du Musée de Moulages des Antiquités Classiques (Museum für Abgüsse klassischer Bildwerke) à Munich.

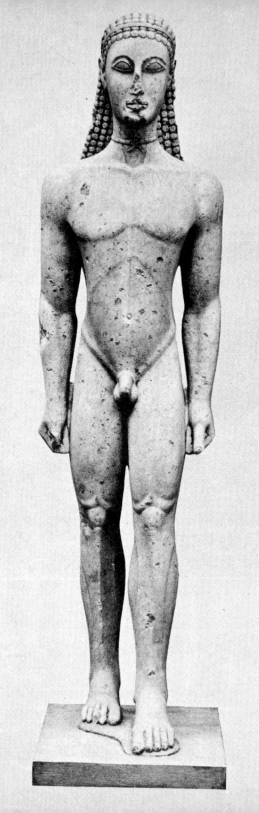

.5

6

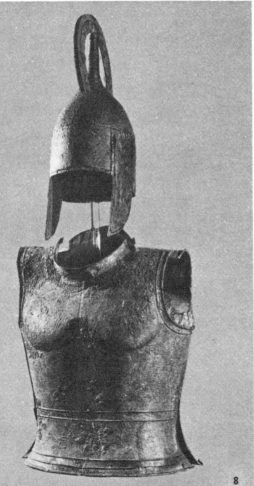

8

10

11

12

15

1

18

19

# RÉFÉRENCES DU TEXTE

PAGE 5 La présentation de l'art archaïque grec doit principalement aux monographies de Humfry Payne sa solide armature chronologique. Avec elles, cependant, il a aussi démontré que le traitement méthodique d'une catégorie particulière de monuments pouvait en même temps éclairer d'autres phénomènes, régionalement ou chronologiquement parallèles, voire même des faits d'histoire de l'art d'époque antérieure ou postérieure. Dans ce sens il est permis d'affirmer que les travaux de ce brillant savant, prématurément décédé à l'âge de 34 ans, doivent constituer les prolégomènes à toute étude future de l'archaïsme grec. Et cela plus particulièrement parce que peu de chercheurs ont su saisir aussi pertinemment que lui les problèmes spécifiques de l'art archaïque et parce que moins encore ont été capables d'en disserter d'une manière congéniale, de conduire à la compréhension, de contribuer à la solution. Parmi ses travaux je citerai:
Early Greek Vases from Knossos, in BSA 29, 1927/28, 224.
Cycladic Vase-Painting of the Seventh Century, in JHS 46, 1926, 203.
Necrocorinthia, Oxford 1931.
Perachora, I: Oxford 1940; II: Oxford 1962.
Archaeology in Greece, 1931–32, in JHS 52, 1932, 236.
Archaic Marble Sculpture from the Acropolis, Londres 1936.
Biographie de Payne:
D. Powell, The Traveller's Journey Is Done, Londres 1943.

PAGE 7 OUVRAGES D'ENSEMBLE SUR LE SUJET DU LIVRE:
F. Matz, Die geometrische und die früharchaische Form (Geschichte der griechischen Kunst, tome I<sup>er</sup>), Francfort-sur-le-Main 1950.
P. Demargne, Naissance de l'Art Grec (L'Univers des Formes, collection dirigée par A. Malraux et G. Salles), Paris 1964.
SUR LA SCULPTURE ARCHAÏQUE:
Ch. Picard, Manuel d'Archéologie grecque, I, Paris 1935.
SUR L'ARCHITECTURE:
W. B. Dinsmoor, The Architecture of Ancient Greece, Londres-New York-Toronto-Sidney 1950.
G. Gruben, Die Tempel der Griechen, Munich 1966.
Sur la civilisation grecque en général (vie quotidienne, mythologie, religion et arts), le lecteur français trouvera d'utiles renseignements complémentaires in:
P. Lavedan, Dictionnaire Illustré de la Mythologie et des Antiquités Grecques et Romaines, Paris 1931; P. Grimal, Dictionnaire de la Mythologie Grecque et Romaine, Paris 1951, ²1958; A.-J. Festugière, La Religion Grecque (Histoire Générale des Religions, tome I<sup>er</sup>), Paris 1960; Fr. Chamoux, La Civilisation Grecque, Paris 1963; P. Devambez, Dictionnaire de la Civilisation Grecque (avec la collaboration de R. Flacelière, P.-M. Schuhl et R. Martin), Paris 1966. On consultera en outre les tomes 9, 10, 11, 12, 13, 14 et 15 de «L'Evolution de l'Humanité», Bibliothèque de Synthèse Historique publiée par les Editions Albin Michel.

PAGE 8 V. Desborough, Protogeometric Pottery, Oxford 1952.
PAGE 9 K. Kübler, Kerameikos V 1, Berlin 1954.
N. Himmelmann-Wildschütz, Der Mäander auf geometrischen Gefässen, in Marburger Winckelmann-Progr. 1962, 10.
PAGE 12 G. Hafner, Eine submykenische Stierplastik, in Jahrb. 58, 1943, 183.
D. Ohly, Frühe Tonfiguren aus dem Heraion von Samos, I, in AM 65, 1940, 57.
PAGE 13 H. Biesantz, Die thessalischen Grabreliefs, Mayence 1965.

215

PAGE 17    *H. Marwitz*, Kreis und Figur in der attisch-geometrischen Vasenmalerei, *in* Jahrb. 74, 1959, 52.

*H. Marwitz*, Neue geometrische Tierbronzen, *in* Pantheon 23, 1965, 359.

*N. Himmelmann-Wildschütz*, Bemerkungen zur geometrischen Plastik, Berlin 1964.

*K. Reinhardt*, Die Ilias und ihr Dichter, Göttingen 1961.

PAGE 19    *J. M. Davison*, Attic Geometric Workshops, New Haven 1961.

PAGE 20    *R. Hampe*, Die Gleichnisse Homers und die Bildkunst seiner Zeit, Tubingue 1952.

*H. V. Herrmann*, Werkstätten geometrischer Bronzeplastik, *in* Jahrb. 79, 1964, 17.

PAGE 23    *P. Courbin*, Argos: Nécropole et céramique, *in* BCH 78, 1954, 180.

PAGE 24    *P. Courbin*, Une tombe d'Argos, *in* BCH 81, 1957, 322.

PAGE 25    *H. Drerup*, Zum geometrischen Haus, *in* Marburger Winckelmann-Progr. 1962, 1.

*E. Buschor*, Frühe Bauten, in AM 55, 1930, 1.

PAGE 28    *D. Ohly*, Die Göttin und ihre Basis, *in* AM 68, 1953, 27.

PAGE 31    *H. Schleif*, Altarplatz im Heraion von Samos, *in* AM 58, 1933, 157.

PAGE 32    *T. Dunbabin*, The Greeks and their Eastern Neighbours, Londres 1957.

*T. Dunbabin*, The Western Greeks, Oxford 1948.

PAGE 33    *R. D. Barnett*, Catalogue of the Nimrud Ivories, Londres 1957.

*E. Löwy*, Typenwanderung, *in* ÖJH 12, 1909, 243 et 14, 1911, 1.

*E. Homann-Wedeking*, Anfänge der Grossplastik, Berlin 1950.

PAGE 34    *P. Bocci*, Ricerche sulla ceramica cicladica, Rome 1962.

*L. Ström*, Some Groups of Cycladic Vase-Painting from the Seventh Century B.C., *in* Acta Archaeologica 33, 1962, 221.

PAGE 37    *E. Mylonas*, Protoattikos Amphorevs tes Elevsinos, Athènes 1957.

PAGE 40    *E. Langlotz*, Eine eteokretische Sphinx, *in* «Corolla Ludwig Curtius», Stuttgart 1937.

*E. Kirsten*, Das dorische Kreta, Wurtzbourg 1942.

*P. Demargne*, La Crète dédalique, Paris 1947.

PAGE 41    *E. Kunze*, Anfänge der griechischen Plastik, *in* AM 55, 1930, 141.

PAGE 42    Cf. supra sur page 5.

*G. Rodenwaldt*, Votivpinax aux Mykenai, *in* AM 37, 1912, 129.

PAGE 44    *E. Douglas van Buren*, Greek Fictile Revetments, Londres 1926.

PAGE 46    *H. G. Plass*, Die Tyrannis, 2e édition, Leipzig 1859.

*H. Berve*, Die Tyrannis bei den Griechen, Munich 1967.

PAGE 48    *W. v. Massow*, Die Kypseloslade, *in* AM 41, 1916, 1.

*Ch. Seltman*, Cambridge Ancient History, Volume of Plates I, 274, Cambridge 1927.

PAGE 50    *K. Schefold*, La Grèce Classique (trad. J.-P. Simon): S.I. 18 et fig. 36, Paris 1967.

PAGE 52    *M. Collignon*, La statuette d'Auxerre, *in* Monuments Piot 20, 1913, 5.

PAGE 53    *J. Marcadé*, Notes sur trois sculptures archaïques récemment reconstituées à Délos, *in* BCH 74, 1950, 181.

PAGE 54    *W. Schiering*, Werkstätten orientalisierender Keramik auf Rhodos, Berlin 1954.

PAGE 56    *Ch. Clairmont*, Das Paris-Urteil in der antiken Kunst, Zurich 1952.

PAGE 57    *E. Buschor*, Altsamische Standbilder IV, Berlin 1960.

PAGE 59    *D. Ohly*, Zur Rekonstruktion des samischen Geräts mit dem Elfenbeinjüngling, *in* AM 74, 1959, 48.

PAGE 60    *H. Walter*, Das griechische Heiligtum, Munich 1965.

*E. Kunze*, IV. und VII. Bericht über die Ausgrabungen in Olympia, Berlin 1944 et 1961.

*G. Richter*, Kouroi, 1re édition New York 1942, 2e édition Londres 1960.

PAGE 63    *F. Nietzsche*, Die Philosophie im tragischen Zeitalter der Griechen, manuscrit de 1873, publication posthume.

PAGE 64    *G. v. Kaschnitz-Weinberg*, Formprobleme des Übergangs von der archaischen zur klassischen Kunst, manuscrit de 1948, publié dans Ausgewählte Schriften I, Berlin 1965.

PAGE 68    *E. Buschor*, Frühgriechische Jünglinge, Munich 1950.

PAGE 72     *E. Harrison*, Fragments of an Early Attic Kouros from the Athenian Agora, *in* Hesperia 24, 1955, 290.
            *E. Homann-Wedeking*, Echtheitsargumente, *in* AA 1963, 225.
PAGE 79     *Sp. Marinatos*, Le temple géométrique de Dréros, *in* BCH 60, 1936, 214.
PAGE 83     *E. Buschor*, Ein Kopf vom Dipylon, *in* AM 52, 1927, 205.
PAGES 84, 85 *G. Rodenwaldt*, Korkyra II, Berlin 1939.
PAGE 86     *E. Spartz*, Das Wappenbild des Herrn und der Herrin der Tiere in der minoisch-mykenischen und frühgriechischen Kunst, diss. Munich 1962.
PAGE 89     *E. Dyggve* e.a., Das Heroon von Kalydon, Copenhague 1934.
PAGE 90     *H. Bengtson*, Griechische Geschichte, 2ᵉ édition Munich 1960.
PAGE 93     *E. Buschor*, Altsamische Stifter, *in* Festschrift Bernhard Schweitzer, «Beiträge zur klassischen Altertumswissenschaft», Stuttgart 1954.
PAGE 99     *E. Langlotz*, Frühgriechische Bildhauerschulen, Nuremberg 1927.
PAGE 101    Cf. supra sur page 5.
PAGE 102    *W. H. Schuchhardt*, chez H. Schrader, Die archaischen Marmorbildwerke der Akropolis, Francfort-sur-le-Main 1939.
PAGE 105    *Ch. Tsirivakou-Neumann*, Zum Meister der Peploskore, *in* AM 79, 1964, 114.
PAGE 107    *A. Lane*, Lakonian Vase-Painting, *in* BSA 34, 1933/34, 99.
PAGE 109    *J. D. Beazley*, The Development of Attic Black-Figure, Berkeley & Los Angeles 1951, ²1964.
PAGE 116    *J. D. Beazley*, Potter and Painter in Ancient Athens, *in* Proceedings of the British Academy XXX.
PAGE 118    *J. D. Beazley*, Attic Black-Figure, Londres 1928.
PAGE 123    *A. v. Gerkan*, Der Poseidonaltar bei Kap Monodendri, Berlin 1915.
PAGE 127    *H. Kähler*, Das griechische Metopenbild, Munich 1949.
PAGE 128    Cf. supra sur pages 84 et 85.
PAGE 130    *E. Buschor*, Altsamischer Bauschmuck, AM 72, 1959, 1.
PAGE 139    *L. H. Jeffery*, The Local Scripts of Archaic Greece, Oxford 1961.
PAGE 145    *R. Joffroy*, La tombe de Vix, *in* Monuments Piot 48, 1954, 1.
            *A. Rumpf*, Krater lakonikos, *in* Festschrift Ernst Langlotz «Charites», Bonn 1957.
            *E. Homann-Wedeking*, Von spartanischer Art und Kunst, *in* Antike und Abendland 7, 1958, 63.
            *M. Gjödesen*, Greek Bronzes: A Review Article, *in* AJA 67, 1963, 333.
            *U. Häfner*, Das Kunstschaffen Lakoniens in archaischer Zeit, diss. Munster (Westph.) 1965.
PAGE 149    L'interprétation que nous donnons ici remonte en partie à des informations reçues de vive voix de Chr. Karousos.
PAGE 151    *Chr. Karousos*, Aristodikos, Stuttgart 1961.
PAGE 153    *H. Diepolder*, Eine Neuerwerbung der Münchener Antikensammlungen, *in* Antike Kunst 5, 1962, 76.
            *S. Karousou*, Sophilos, *in* AM 62, 1937, 111.
            *I. Scheibler*, Olpen und Amphoren des Gorgomalers, *in* Jahrb. 76, 1961, 1.
PAGE 157    Sophocle, Ajax, vers 657–663 et 815–823. Traduction *J. Grosjean in* Tragiques Grecs, Eschyle Sophocle, Bibliothèque de la Pléiade, Paris 1967.
PAGE 161    *S. Karousou*, The Amasis Painter, Oxford 1956.
            *W. Kraiker*, Eine Lekythos des Amasis im Kerameikos, *in* AM 59, 1934, 19.
PAGE 165    *A. Rumpf*, Chalkidische Vasen, Berlin 1927.
PAGE 166    *R. Cook*, Fikellura Pottery, *in* BSA 34, 1933/34, 1.
PAGE 174    *A. Rumpf*, Endoios: ein Versuch, *in* Critica d'Arte 3, 1948, 41.
PAGE 176    *P. de La Coste-Messelière*, Au Musée de Delphes, Paris.1936.
            *E. Langlotz*, Zeitbestimmung der strengrotfigurigen Vasenmalerei und der gleichzeitigen Plastik, Leipzig 1920.

PAGE 181    *E. Lapalus*, Le fronton sculpté en Grèce, Paris 1947.

PAGE 183    *F. Krauss*, Die Tempel von Paestum, I: Der Athenatempel, Berlin 1959.

PAGE 187    *A. Bruhn*, Oltos and Early Red-Figure Vase-Painting, Copenhague 1943.

PAGE 192    *K. Schefold*, Kleisthenes, in Museum Helveticum 3, 1946, 59.

PAGE 193    Cf. supra sur page 5.

PAGE 197    *F. Hiller*, Untersuchungen zur Ornamentik der attischen Vasen des 5. und 4. Jahrhunderts v. Chr., diss. Munich 1955, non publiée.

PAGE 198    *E. Löwy*, Der Beginn der rotfigurigen Vasenmalerei, Vienne 1938.

PAGE 201    *W. F. Otto*, Dionysos, Francfort-sur-le-Main 1933.

# ABRÉVIATIONS EMPLOYÉES POUR LES RÉFÉRENCES

AA     = Archäologischer Anzeiger (Beiblatt zum Jahrbuch des Deutschen Archäologischen Instituts)

AJA    = American Journal of Archaeology

AM    = Mitteilungen des Deutschen Archäologischen Instituts, Athenische Abteilung

BCH    = Bulletin de Correspondance Hellénique

BSA    = Annual of the British School at Athens

Jahrb.   = Jahrbuch des Deutschen Archäologischen Instituts

JHS    = Journal of Hellenic Studies

ÖJH    = Jahreshefte des Österreichischen Archäologischen Instituts

# GLOSSAIRE

*Abaque*

Organe supérieur du chapiteau transmettant la charge de l'entablement. Dans l'ordre dorique un simple tailloir carré et lisse, orné de moulures dans l'ionique.

*Alabastre*

Vase à parfum en forme de bourse, ainsi dénommé en raison de sa matière originale (l'albâtre).

*Amphore*

Récipient à deux anses; l'amphore dite «à col» présente un col qui se détache et qui est encadré de deux anses verticales, tandis que dans l'amphore dite «pansue» ou «à tableau» l'embouchure et le col forment une ligne continue avec la panse.

*Aryballe*

Vase à parfum ventru à anse unique et embouchure en forme de disque plat, les exemples récents étant le plus souvent globulaires.

*Canthare*

Vase à boire présentant deux anses verticales débordantes, attribut de Dionysos.

*Cella*

Noyau de tout temple, construction rectangulaire en pierre de taille destinée à recevoir l'effigie cultuelle.

*Chiton*

Tunique d'une étoffe mince, le plus souvent avec des manches relativement courtes, qui ne sont que très rarement cousues, en général boutonnées; peut être porté avec ou sans ceinture, comme vêtement unique ou comme vêtement de dessous.

*Corè, pl. Corès (ou korè, pl. korai)*

en grec jeune fille; désignation moderne des statues archaïques de jeunes filles en costume dorien ou ionien.

*Couros, pl. Couroi (ou kouros, pl. kouroi)*

en grec jeune homme; désignation moderne des statues archaïques d'adolescents nus, dont l'interprétation plus précise n'est souvent pas possible.

*Cratère*

Grand vase ouvert servant à mélanger l'eau et le vin; d'après la forme des anses on distingue des cratères à volutes et des cratères à colonnettes; un type plus récent doit à sa forme générale l'appellation de cratère en calice.

*Denticules*

Rangée d'«abouts de poutres» en projecture, assurant la transition de l'architrave à la corniche dans l'ordre ionique, bordée de cymaises.

*Echine*

Dans le chapiteau dorique le «coussin» rond entre le fût et l'abaque, dans le chapiteau ionique le bourrelet d'oves entre les volutes.

*Entasis*

Le galbe élégant, sensible mais pas exagéré, du profil des fûts.

*Geison, pl. geisa*

Corniche, en forte projecture au-dessus de l'entablement d'un ordre d'architecture (*geison* horizontal), délimitant également le tympan vers le haut (*geison* rampant).

*Kômos*

Troupe de joyeux buveurs, de «comastes».

*Kumation (ou kuma)*

Profil terminal, c'est-à-dire cymaise, en coupe de forme curviligne (*kuma* = vague);

employé le plus souvent en architecture. Le *kumation* le plus simple est une moulure ronde non subdivisée. Le *kumation* dorique offre un sévère profil concave, le *kumation* ionique un profil convexe (oves) et le *kumation* lesbien un profil en doucine, c'est-à-dire en S, moitié convexe et moitié concave (feuilles d'eau, rais de cœur).

### Lapithes

Peuple thessalien participant également de l'histoire et de la mythologie. Aux Lapithes appartiennent l'invulnérable Caenée et Pirithoos, l'ami de Thésée. Lors des noces de Pirithoos et d'Hippodamie, sa fiancée, éclata une rixe avec les Centaures, qui avaient été invités au festin. La rixe se transforma en véritable combat opposant Lapithes et Centaures.

### Lécythe

Petit vase à parfum ou cruche à huile plus grande, servant pour les libations funéraires; fréquemment offrande funéraire.

### Lygos

Buisson croissant sur le pourtour de la Méditerranée, pouvant se transformer en arbre en horticulture; petites fleurs violettes, bleues ou blanches (en botanique: vitex agnus-castus = gattilier agneau-chaste).

### Ménades

en grec femmes possédées; femmes vêtues d'une peau de chevreuil et de longs voiles, appartenant avec les Satyres au cortège extatique de Dionysos. Ce sont les Bacchantes divines.

### Métopes

Plaques peintes ou ornées de reliefs alternant dans l'entablement dorique avec les triglyphes, plaques à trois entraits et deux entailles (frise de métopes et triglyphes).

### Oenochoé

Cruche à embouchure trilobée et panse ovoïde plus ou moins large; elle peut être trapue avec un fond plat, et parfois offrir une panse conique.

### Olpè

Variété de l'œnochoé à bouche ronde et corps plus étroit et allongé.

### Opisthodome

Partie du temple située derrière la cella et faisant pendant au pronaos; ouverte du côté ouest ou fermée par une grille de bronze et servant de Trésor.

### Péplos

Vêtement sans manches en épais tissu de laine, presque toujours porté avec une ceinture et fréquemment avec un «repli», lequel retombe presque jusqu'à la ceinture. Sur les épaules le péplos est en général agrafé; sur le côté droit du corps, où deux lisières du tissu se rencontrent, le péplos peut être cousu ou ouvert.

### Phiale

Vase rituel des libations, se présentant comme une coupelle avec une petite saillie *(omphalos)* au centre.

### Pinakes

Tableaux sur bois ou tables d'argile peintes, offrandes votives dans les sanctuaires.

### Pôros

Pierre calcaire amorphe d'un poids spécifique réduit, qui, fraîchement extraite, se laisse travailler d'une façon relativement facile.

### Pygmées

Peuple mythique de nains, dont les champs ensemencés sont annuellement ravagés par des grues.

### Rhyton

Vase à boire en forme de corne ou de cornet.

### Satyres

Habitants mythiques de la forêt, aussi appelés Silènes dans le cortège de Dionysos, représentés comme hommes gras au nez camus, avec des oreilles de cheval et une queue de cheval, parfois aussi des jambes chevalines.

## Sima

Membre supérieur de la corniche orné de reliefs et comprenant des gargouilles, exécuté dans le même matériau que les tuiles (marbre ou terre cuite).

## Stylobate

Dernière assise du soubassement sur laquelle repose directement la colonnade.

## Thiase

Cortège de fête, en particulier le cortège extatique des Satyres et des Ménades de Dionysos.

# TABLEAU CHRONOLOGIQUE

| Temps | Dates historiques | | Architecture, plastique, relief |
|---|---|---|---|
| | 926 | Destruction de Tell Abou Hawam en Palestine | |
| 800 | | | |
| | | | Héraion I de Samos |
| 750 | | Fondation de Cumes | |
| | | | Petit bronzes, terres cuites |
| | 735 | Fondation de Syracuse | |
| | 740–20 | 1re guerre de Messénie | |
| | 708 | Fondation de Tarente | Ivoires découverts dans le palais d |
| | 722–05 | Sargon II d'Assyrie | Sargon II à Nimroud |
| 700 | | | |
| | 690 | Fondation de Géla | *Sphurèlata* |
| | | | Héraion II de Samos |
| | 660–40 | 2e guerre de Messénie | |
| 650 | | | Naissance de la plastique monumen |
| | vers 636 | Conspiration de Cylon | tale de pierre dans les Cyclades et e |
| | 628 | Fondation de Sélinonte | Attique |
| | 621 | Lois de Dracon à Athènes | |
| | | Cypsélos, tyran de Corinthe | Temple récent d'Apollon à Thermos |
| 600 | | | |
| | | Périandre, tyran de Corinthe | |
| | 594 | Archontat de Solon à Athènes | Temple d'Artémis à Corfou |
| | | | Frontons de *pôros* des temples ancien de l'Acropole d'Athènes |
| | 561–60 | Coup d'Etat de Pisistrate à Athènes | «Temple de Rhoïcos» à Samos (Héraio III) |
| | | | Théodoros de Samos, architecte et bronzie |
| | 560–47 | Crésus, roi de Lydie | Généléôs, sculpteur |
| 550 | | | Temple d'Artémis à Ephèse |
| | | | Temple d'Apollon à Corinthe |
| | dep. 538 | Polycrate, tyran de Samos | Sculpteurs: Endoïos |
| | vers 540–25 | Lygdamis, tyran de Naxos | Aristoclès |
| | 528/27 | Mort de Pisistrate | Anténor |
| | 522 | Mort de Polycrate | av. 525 Trésor des Siphniens à Delphes |
| | 514 | Meurtre d'Hipparque par Harmodios et Aristogiton | |
| | | | Achèvement du temple ancien d'Apol lon à Delphes |
| | 510 | Eviction d'Hippias | |
| | 508 | Réforme de Clisthène à Athènes | |
| 500 | | | |

# TABLEAU CHRONOLOGIQUE

| Céramique, peinture | | La vie de l'esprit | Temps |
|---|---|---|---|
| Céramique protogéométrique à Tell Abou Hawam | | | |
| | | | 800 |
| Style géométrique mûr en Attique | 776 | Début des listes des Olympioniques | |
| | | | 750 |
| Débuts du style protocorinthien ancien | | Epopées homériques: l'*Iliade* | |
| Style géométrique récent en Attique | | l'*Odyssée* | |
| I<sup>er</sup> style à figures noires à Corinthe (protocorinthien moyen) | | | |
| Amphore protoattique de Nessos à New York | | Hésiode | 700 |
| I<sup>er</sup> style à figures noires à Athènes | | Tyrtée | |
| Style protocorinthien récent (olpè Chigi) | | Archiloque de Paros | 650 |
| | 624 | Naissance de Thalès de Milet | |
| 0-10 Débuts du style corinthien | 611 | Naissance d'Anaximandre de Milet | |
| Amphore de Nessos à figures noires à Athènes | | Alcée et Saphô de Mytilène | 600 |
| Céramographes attiques: Corinthe: | | | |
| Peintre de la Gorgone     Timonidas | 586 | Naissance d'Anaximène | |
| Sophilos | 585 | Thalès de Milet prédit une éclipse | |
| | 580 | Naissance de Pythagore | |
| Clitias et Ergotimos | 570 | Naissance de Xénophane | |
| Premières amphores panathénaïques | 566 | Institution des Grandes Panathénées | |
| Lydos     Néarchos | | | |
| Amasis     Petits maîtres attiques | | Anacréon de Téos | 550 |
| Exékias | | Simonide de Céos | |
| rs 530 Introduction de la technique à figures rouges | 534 | Première représentation tragique à Athènes (Thespis) | |
| Peintre d'Andokidès | | | |
| Psiax | | | |
| Oltos     Epiktétos | | | |
| Euthymidès  Euphronios | 510-500 | Ephébie de Léagros et de Thémistocle | |
| Peinture monumentale: Cimon de Cléonées | | | |
| | | | 500 |

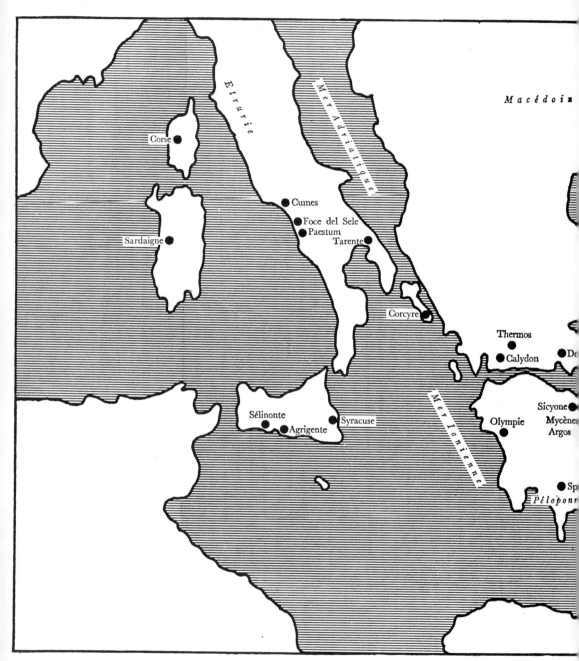

Corse

Etrurie

Mer Adriatique

Macédoi

Cumes

Foce del Sele
Paestum
Tarente

Sardaigne

Corcyre

Thermos
Calydon
De

Sicyone
Sélinonte
Agrigente
Syracuse
Olympie
Mycène
Argos

Mer Ionienne

Sp
Péloponn

LES CITÉS GRECQUES DE L'ESPACE MÉDITERRANÉEN

Mer Noire (Pont Euxin)

Thasos

Troie

Lesbos

Pergame

Lydie

Phrygie

Chio

Chalcis
Erétrie
Thèbes
Athènes
the
Egine
the

Mer Egée (Archipel)

Samos

Ephèse

Milet

Anatolie

Délos

Paros

Naxos

Rhodes

Chypre

Crète

# TABLE DES FIGURES

Les figures 1–4, 6, 8–12, 14–17, 19, 22–24, 26–37 ont été dessinées par Heinz Prüstel, Mayence, les figures 18, 20 et 21 par F. Barault, Athènes, d'après des documents mis à disposition par l'auteur. Les figures 5, 7, 13 et 25 sont extraites des ouvrages cités. La carte a été dessinée par M. Schlatterer, Baden-Baden, suivant les indications de l'auteur.

# TABLE DES PLANCHES EN COULEURS

## SOURCES DES PLANCHES EN COULEURS

Nous devons les clichés en couleurs à l'amabilité de: M. Chuzeville, Vanves, p. 39 et 51; H. Devos, Boulogne-sur-Mer, 158; Photo Giraudon, Paris, 103; E. Homann-Wedeking, Munich, 18, 131; J. A. Lavaud, Paris, 10, 127, 186; Foto Scala, Florence, 3, 58, 62, 110, 111; Max Seidel, Mittenwald, 22, 38, 47, 64, 70, 74, 78, 86, 87, 106, 134, 138, 151, 155, 167, 170, 174, 175, 179, 182, 190 et 202. Les autres documents nous ont été confiés pour reproduction par les musées respectifs.

# INDEX

*(Les chiffres en italiques renvoient aux illustrations et aux légendes)*

# TABLE DES MATIÈRES

OCTOBRE 1983
NUMÉRO D'ÉDITION 7945
DÉPÔT LEGAL: B 13.284-1983
IMPRIMÉ EN ESPAGNE
EMOGRAPH, S.A. A. OQUENDO, 1 · BARCELONA